生き延びるために芸術は必要か

森村泰昌

光文社新書

生き延びるために芸術は必要か

目次

第二話 「私」が生き延びるということ・その１

第五話　コロナと芸術
――パンデミックを生き延びる

はじめに――なぜ、「生き延びる」なのか

その家はまだ生き延びている

だれも住んでいない家がある。かつてそれは私の実家だった。いまはほとんど物置小屋になっている。私が生まれてすこしたって両親とうつり住み、30代後半までくらしていた。これまでの人生の半分ばかりをこの家とともに生きてきたことになる。

道路ぞいの長屋の北端にあるこのちいさな家で父は緑茶を商っていた。もともとは店だけで住まいは近所のべつのところにあった。ひっこしを機に一階の店舗のよこに四畳ほどの居間が増築され、さらにそのよこにはちいさな風呂場もつくられた。二階の座敷はふた部屋にしきられて、ひと部屋は私の寝室兼勉強部屋に、もうひと部屋は両親の寝室になった。

なぜひっこしたのか私は知らない。父母はすでに他界し、私はひとりっ子だった。ひっこ

しのいきさつを知るひとはもういないのだ。

両親が結婚したのは戦後すぐのことだった。中国に出征後復員した父と、女学校を卒業してすぐの母親が見合いでむすばれた。次男坊の父が実家から暖簾《のれん》わけしてもらい、ふたりはこの家で商売をはじめることになったのだった。

両親が若いころは、茶どころから「たて」というおおきくて丈夫な紙袋に詰められたお茶っぱが、荒縄でしばられてひっきりなしにトラックではこばれてきた。それら産地直送のお茶っぱを父がブレンドし、はかり売り用の袋に小わけして商品にする。すべてが手作業だった。「とおし」や「みの」によってお茶をえりわけるのだが、それらの道具類はいまも店にホコリをかぶって残っている。

商いは小売だけではなかった。市場への卸、それに工場や会社への配達もあった。父はホンダドリーム号（バイクの名前）の荷台に荷物を山積みにし、いそがしくはたらいていた。

「外行《がいこう》」と呼ばれる行商スタイルのおっちゃんたちも、お茶の仕入れに自転車でやってきた。

「外行」のおっちゃんたちの名前は、なぜかよくおぼえている。ヨシオカはん、ゴウダはん、ヒロセはん、ミナミはん。「だれそれさん」というところを、かつて大阪の商人たちは「だれそれはん」という。

おっちゃんたちは私のことを「やすぼん」と呼んだ。「泰昌《やすまさ》」の「やす」プラス「ぼっちゃん」で「やすぼん」。しかし私には「やすもん（安物）」と聞こえてしまうので、この呼び名が好きになれなかった。

1950年代の私の記憶のなかでは、家も父母もはつらつとしている。

私が高校生だった1960年代後半、「外行」のおっちゃんたちはほとんどこなくなった。高齢化による廃業がおもな理由だが、もはや「外行」の時代ではなくなったということもある。

私が大学生となった1970年代には来店する客もめっきりへって、かつての店のにぎわいは急速に陰っていった。町には大手スーパーが乱立しはじめた。ペットボトルや自動販売機はまだみかけなかったが、インスタントコーヒーや豊富な種類のソフトドリンクがテレビコマーシャルで大々的に宣伝されるようになった。個人商店で日本茶を買うという〝風習〟は影をひそめてゆく。

店の経営とは無関係に生きていた私であっても、店がさびれていくのをまのあたりにすると、「ああ、これがいわゆるジリ貧というヤツか」と心がうずいた。しかし店を継いで再起をはかる気持ちはなかった。美大生の私は店の手伝いもせず、二階のせまい自室にこもり、写真の暗室作業や１００号大の絵画制作にあけくれた。現像液と油絵の具の匂いがまじりあっていた。ベッドもこの部屋にあったから、いかにも体にわるそうな環境のなかで寝おきすることになるのだが、このにごった空気の匂いが私には誘惑的でここちよかった。

神経質な母は家族のゆくすえを心配し、倹約と貯蓄に目くじらをたてたが、父のほうは「まあなんとかなるやろ」といたって呑気であった。だれもこない店の帳場にすわり、テレビをみて晩年の日々をすごしていた。

２０２４年の現在、この家はまだそこにある。しかし住まなくなると家は荒れてゆく。和式トイレの水漏れがとまらない。物干しの屋根をささえる柱がくさってくずれそうになってくる。屋根のあちこちに瓦のずれがあり、いつ落下するかわからない。床や柱を虫が喰い荒らしている。二階の床にかたむきがあり、部屋にたつと平衡感覚がおかしくなってくる。

近所の住人から苦情があった。たしかに危険なので、屋根や物干しやトイレの応急処置をなじみの工務店におねがいすることにした。こうして、この家はまだなんとか〝生き延びている〟。

建物と終活

いきなり私事を書きつらねてしまった。

家というものは、それがりっぱな門構えのお屋敷であれ、長屋のちいさな一区画であれ、くらしていた人間や出来事の記憶を確実に宿している。たいていのばあいそれらの記憶は、ありふれた些事《さじ》の集積にすぎない。社会や他人の関心事になるはずもない。だから傍目には、そんなこわれかけた家ならさっさと更地にするか、売却してしまうか、ともかく早々に処分すべきだという結論にもなろう。

それに昨今では、終活という人生への決着のつけかたを選択するひともふえた。個人的な記憶世界は自分の心のうちにとどめおき、思い出の品はきれいさっぱり捨てさってしまう。後の始末の面倒を他人様にできるだけかけないようにして逝くという、なかなかいさぎよい人生の終わりかたである。

なるほどと納得する。自分がこの世を支配する王様か女王様であったかのように、みずからの足跡をことさら残そうとあがくのはあまりにもみぐるしい。人知れずいつしか消えてわすれられていくという静かな終わりかたには、たしかにそれなりの美学が感じられる。やっぱり私の実家も、さっさと処分してしまうのが最良の選択なのだろうか。

建物を介護する

しかしいっぽうではこうも思う。これは終活問題ではなく、ある種の介護のエピソードではないのかと。しだいにこわれゆく私の実家、それは第三者には寿命がつきかけたありふれたボロ家にすぎない。しかし私はこの家とだれよりもながくつきあってきたわけである。家は私が生まれるより以前の戦後の混乱期を知っている。父母や店を訪れたさまざまな人びとの残像も、家のそこかしこにみえかくれする。

店のまえを路面電車が走っていた。道路のまむかいには理髪店があった。理髪店の店主はチョビヒゲをたくわえ、毛髪は最期までまっくろに染められていた。

うちのとなりはカメラ店だった。父はここでライカを買った。カメラ店の奥さんは病弱だった。みかけるときはいつも寝起き姿だった。でもきれいなひとだった。私にとってのカメラの思い出は、確実にこのひとの面影とかさなっている。

道路の筋むかいには銀行があった。あるとき銀行強盗がたてこもった。在日朝鮮人のひとだった。あのときはうちの店が報道陣の詰め所になった。

この銀行、昨年から解体工事がはじまって、跡地には超高層のタワーマンションが急ピッチで建設中である。これが完成すれば、私の家はますますちっぽけにみえるだろう。ますます時代おくれで、ますますうすぎたなく感じられるだろう。それでもやっぱりまだその家は生きている。

介護の現場では、安楽死はやむにやまれぬ最後の選択としてあるはずだ。身体があり命があるかぎり延命をのぞむ、生き延びてほしいとねがってやまない。これが旅立つ者にたいしてできる、まだ生きている者のせめてもの敬意と愛情の表出ではないだろうか。

建物の介護などというと失笑をかうのかもしれない。建物なんて、固定資産税が発生したり、売買されたりする「物件」にすぎない。そのように乾いた気持ちでとらえることができたならどれだけ気楽になれることだろう。しかし建物に宿る長年の記憶のことを「命」あるいは「心」ととらえ、こわれゆく建物の柱や窓や壁や床や屋根、それらの総体を人間の「身体」と同等に感じてしまう者にとっては、それがどんな建物であれ、簡単に見放すことなどできるわけがない。

役に立つことと、生き延びることはおなじではない

気分をかえて前向きな話題にもふれておきたい。それはいわゆる古民家再生プロジェクトというものである。昨今これがブームになっている。３Ｄプリンターで建物をつくるといったような、いわばデジタルアーキテクチャーが現実化しはじめているなかで、そうした最先端技術とバランスをとるかのように、アナログアーキテクチャーとしての古民家の再活用がみなおされているのかもしれない。

じつは私も自分なりに古民家再生プロジェクトを思い描かずにはおれなかった。父母と私がかつて使用していた電化製品や食器のたぐいも捨てずにおいてある。いたみはひどいが緑茶店の店部分もそのまま残っている。気のきいたリノベーションによって、昭和記念館的な雰囲気のショップやカフェへと変貌させることはけっして不可能ではない。道路をはさんで

筋むかいに建設中のタワーマンションには、やがておおくのあたらしい住人たちがやってくる。そうしたそれなりの富裕層をターゲットに、なにかあたらしい店舗として再出発してみるのも一案である。

ふるさにあたらしさを接木《つぎき》して生き延びる。この若返り作戦、思い描くとちょっとたのしい。擬人化していうなら、新手の高齢者再雇用計画のようなものだろうか。まだまだはたらけるのだというよろこび。レトロがむしろオシャレに若返るたのしさ。いいなと一瞬きもちがかたむいた。しかし結局この案は断念することにした。再生させて有効活用するというときの、この「有効活用」という言葉にひっかかったからである。

有効に活用して世の中に役立たせる。もちろんわるいことではない。むしろ称賛されてよい発想であり実践である。しかし有効に活用できないようなら廃棄する、役に立たなければ意味がないというふくみがかいまみえる気がしないでもない。

役に立つことと生き延びることは、まったく別問題である。役に立つから生き延びるのではない。役に立つかどうかとは無関係に、生き延びたい、生き延びていてほしいとねがう気持ちが、なにものかを生き延びさせるのである。

できるところからはじめてみる

本編にはいるまえにずいぶん寄り道をしてしまったが、まずは自分自身の足もとをみつめることからはじめたかった。それで実家のゆくすえという、目下私の頭を悩ませている人生の宿題について思いめぐらせてみた。

その結果わかってきたことは、ごらんのようにどうも一朝一夕にはいかないようだということだった。生き延びることができれば、それでいいということにはならないし、そもそもなにがなんでも生き延びなければならないときめつけていいものかどうかも疑わしい。あたらしい建物や町ができれば、かつてあったものは消滅する。このさだめにはさからえない。同様に私が生き延びることが、だれか（あるいはなにか）の生き延びる道を断つ結果になっている可能性がある。逆にだれか（あるいはなにか）が生き延びようとすれば、私が生き延びることができなくなってしまうばあいもあるだろう。生き延びることはよろこびなのか、それともくるしみなのか。

当然、「生き延びる」問題は、身辺雑記的な話題にとどまらない。国際政治、地球環境、災害、情報革命、差別、性差、虐殺、貧困、パンデミックと、生き延びることに危機を感じる出来事は、いまや枚挙にいとまがない。生き延びたいのに生き延びることがゆるされない、そんな切迫した現実をみせつけられると、「生き延びるとはなにか」などと、あれこれ悠長に悩んでいるうちに、生き延びること自体が不可能になってしまいかねない。

なにからはじめていいのか、もはやわからなくなってしまっているというのが、だれもが感じている本音のところなのかもしれない。ならばともかく、各人が自分にできるところからはじめてみるほかないではないか。

「生き延びる」を、異なる角度からながめる

ところで私は2019年から現在まで、某大学で毎年数回の講義を担当させてもらっている。[*1] 美術家としての私がその時々に考えたこと、伝えたかったことをお話しするのだが、これまでの講義をふりかえってみると、「生き延びる」というテーマに関連した内容が意外におおかった。そしてこの地道につづけてきた講義もまた、私にとっての「できることからはじめてみる」こころみだったのではと、しだいにそう思えるようになってきた。

ならばこの講義の記録を下敷きにして、あらためて「生き延びる」問題にむきあってみてはどうだろうかと考えた。その私なりのむきあいかたのお披露目が本書にまとまっていった。

第一話では、ＡＩ（人工知能）の急激な進化によって、個人も社会もいささか混乱しているかに思える昨今の状況を、「生き延びる」というキーワードによって自分なりに読みといてみた。

第二話と第三話は、今後語ってみたいと考えていた内容をさきどりするかたちで書きおろした。フランシスコ・デ・ゴヤとディエゴ・ベラスケス、このふたりの画家にとって「生き延びる」とはなにを意味していたのか。画家の足跡を追いながら考察してみた。

第四話は、ロシアがウクライナに侵攻するという国際政治をゆるがす出来事が勃発した２０２２年に実施した講義である。

第五話は、新型コロナウイルスの感染拡大がいつ終わるのか、まだまだ世界中が不安のまったただなかにあった２０２０年７月〜８月に、オンラインで配信した講義である。

第四話と第五話を文字おこしするさい留意した点がある。それは、話した時点における臨場感をたいせつに考えて、可能なかぎり加筆訂正をしなかったことである。自分の言動をあとになって撤回したり、知らぬそぶりをきめこんだりするのは、できのわるい政治家などによくみられる下品な後出しジャンケンである。その轍《てつ》をみずからがふまぬよう、出来事がおこっているまっただなかのナマな声の忠実な再現をめざした。

第六話のタイトルは「生き延びるために芸術は必要か」となっている。本書と同タイトルである。

しかしここで問題にしたかったのは、「必要」か「不必要」かの二者択一ではない。むしろＡかＢかどちらですかという発想自体に疑問をなげかけることであった。第六話のストーリー展開はいささか紆余曲折している。結論を急がず寄り道することのおもしろさとしてうけとめていただけたらと思う。

第七話と第八話で語りたかったのは「明治」についてである。私はながらく、明治とは我々の時代からかけはなれたふるくさい過去にすぎないと思いこんでいた。いまにつながるてごたえがみいだしにくく、地続きな感じがしない。なんというか触れている実感にとぼしかったのだ。

とおくにあったそんな明治に目をむけさせてくれる機会があった。２０２１年、某美術館において画家、青木繁にまつわる展覧会を開催させていただいた。[*2]青木が明治という激変の時代をいかに生き延びようとしたか。あるいはなぜ生き延びることができなかったのか。いやいやそういうことではなく、人間として生き延びることができなかったがゆえに、芸術家として生き延びることができたのかもしれないではないかと、悲喜こもごもに青木繁へと思いを馳せるなかで、青木が生きた明治という激変の時代にも興味がわいてきた。

青木のライバルであり盟友でもあった明治生まれのもうひとりの画家、坂本繁二郎のことも、やがて気になってきた。正直なところ、坂本繁二郎については当初青木繁ほどの興味があったわけではない。しかし青木を知るには坂本を、坂本を知るには青木を知る必要があるとわかり、あらためて坂本繁二郎の画業と人生の足跡も追ってみたくなった。

青木と坂本の複雑な関係については、たとえば松本清張が１９８２年に発表した問題作『私論　青木繁と坂本繁二郎』がある。[*3]しかし私の視点はそれとは異なる。結果的にはむしろ松本清張とは逆の立場をとることになった。

青木と坂本という明治生まれのふたりの画家を考察するにあたり、キーパーソンとして、ある文学者にもいきあたった。夏目漱石である。

漱石について語るにあたり、司馬遼太郎の『坂の上の雲』を援用した。しかしここでも結果的には、司馬遼太郎の明治史観への、なんというかおそれおおくもという感じだが、私なりの異議申し立てとなった。

松本清張も司馬遼太郎も私の敬愛してやまない立派な小説家である。共感するところがいっぱいあるのだが、「明治を生き延びる」とはどういうことなのかを自分なりにとらえていくなかで、このふたりの巨匠に少々違和感が生じてしまった。なおこの第七話と第八話のみ、大学講義ではなく東京と久留米の美術館での講演がもとになっている。[*4]

以上全八話のテーマは一見ばらばらに感じられるかもしれないが、いずれにも生き延びるとはなんだろうかという問いが底流にある。異なる角度からながめてみることで、「生き延びる」問題が多面的にうかびあがってくることがめざされている。首尾よくそうなっているかどうかはあやしいし、一介の美術家にすぎない私が「生き延びる」という切実かつおおきなテーマにどれくらい肉薄できているのかは、はなはだ疑問でもあろう。

もとより本書は結論を急ぐのが目的ではない。読者のみなさんとともに、じっくりと生き延びる希望について語りあえたらと思う。

＊1　大阪大学 文学研究科アート・メディア論コースの特任教授として、毎年平均2回の講義を行っている。第一回は２０１９年8月6日。現在も連続講義は続けられている。

＊2　アーティゾン美術館における展覧会、『ジャム・セッション　石橋財団コレクション×森村泰昌　M式『海の幸』―森村泰昌　ワタシガタリの神話』（２０２１年10月2日～２０２２年1月10日）のことを指す。

＊3　『私論　青木繁と坂本繁二郎』（昭和57年7月25日発行、新潮社）のことを指す。

＊4　アーティゾン美術館・「青木×坂本展」土曜講座第1回・「ふたりの『繁』が作り出した美術の世界／前編」（２０２２年9月10日）および、久留米市美術館・講演会「ふたりの『繁』が作り出した美術の世界／後編」（２０２２年11月26日）のことを指す。

第　一　話

生き延びるのはだれか

2023年7月28日（金）

大阪大学豊中キャンパスにおける講義より

「生き延びるのはだれか」という問いかけ

生き延びる。これは生死にかかわる深刻なテーマです。安易にかかわるのがはばかられるような気もいたします。でもこの深刻なテーマがなんだか現実味をともなって、ひしひしと身近にせまってきているようにも感じる昨今。であれば目をそらさずに、思いきって「生き延びるってどういうことなんだろうか」と、このむずかしそうな問いに私なりにむきあってみたい、そう考えました。

いま「私なりに」といいました。かくいう私はだれかといえば、美術作品をつくる美術家です。ですから「私なりに」とはすなわち美術もふくむ「芸術」、もうすこし広範囲にとらえて「表現世界」、そういったものをなんらかの手がかりにしてみるということになりそうです。

これからさまざまな表現世界をめぐりながら、「生き延びるってどういうことですか」という問いにたいし、私なりの答えをみつけだしていくつもりです。たぶんお話はまっすぐな道を迷いなくつきすすんでいくような感じではないと思います。うねうねした回り道、寄り道、遠回りですが、最後まで伴走をどうぞよろしくおねがいいたします。

ところで、こんなふうにいってしまったら身もふたもないのですが、この「生き延びる」というテーマ、あるときふと頭にうかんだのです。

中身がまったくのゼロだったわけではありません。このテーマはきっとだいじなんだという確信めいた直感はありました。でもどういうすすめかたで深めていけばいいのかよくわからなかった。容れ物（＝テーマ）はきまったけれど、そこになにをいれるべきかについてはノーアイデアだった。それであらためて「生き延びる」という、この語句をながめながら「さてどんなふうに進めていったらいいのだろうか」と、スタート地点で早くもつまずくことになりました。

そうこうしているうちに、またまた気がついたことがありました。あたりまえのように「生き延びる」っていうけれど、そもそもいったい〝なにが〟生き延びるというのでしょうか。この〝なにが〟というところ、つまり主語にあたる箇所ですね、ここがぬけている、ここがあいまいである。「生き延びる」というのは動詞です。であれば主語があるはず。この主語のところをなににするかによって、ガラリと視点がかわってくるのではないだろうか。

で、この「なにが……」を、仮に「xが……」といいかえてみますとこんなふうになります。

〝x〟が生き延びるとはどういうことなんだろう。

いささかかかわったスタートにも思えましたが、ともかくここからはじめてみることにいたしました。

では私のいうこの〝x〟におきかわりうる主語として、いったいどういったものが想定できるでしょうか。最初に思いつくのは、「私」ではないでしょうか。「私」というのは、この私にもっとも身近です。それゆえに切実な存在である。

「〝私が〟生き延びるってどういうことですか」と問われたとき、当事者である私はこの問いをリアルにうけとめます。自分の生活、仕事、環境、性格、将来の夢や過去の思い出など、自分自身にまつわる諸要素を思いうかべながら、なんらかの答えをみつけだそうとする。答えはなかなかみつからないかもしれませんが、なんといっても私は「私」の当事者ですから、この問いかけは比較的イメージしやすいような気がいたします。

もちろん、〝x〟にいれることのできる主語は「私」だけではありません。ほかにどういった主語がありえるかと思いめぐらせていくうち、おもしろいことに気がつきました。というのはこの「私」のあとに二文字をつけくわえるだけで場面がガラリとかわるのです。

　どんな二文字かというと、「たち」です。「私」に二文字くわえて「私たち」としてみる。「私たちは……」と私がみなさんに呼びかけたとします。このときの「私たち」とは、この私自身もふくむ全員になるわけですが、しかしながら全員とはいえ、みなさんがすわっている椅子や、目のまえにあるテーブル、テーブルにおかれたパソコンなどはふくみません。どうも「私たち」という文言には、そのあとに暗黙のうちに了解されているがゆえにあえて口にだす必要もない、かくされた＋αがあるようです。

　なにかというとそれは「人間」です。あるいは「人類」です。そういった＋αに裏打ちされた主語として「私たち」はある。ですから「私たちが生き延びる」ということの意味は、「私たち人間／人類が生き延びる」、すなわち「人間のゆくすえを問う」という、なかなかおおきな枠組みへと視点を場面転換させていくことにもなっていく。

　〝x〟にいれることのできる主語として、こうして「私」と「私たち」の二種がみつかりました。後者は人間（人類）のゆくすえを問うわけで、ずいぶんおおきな枠組みですから、こちらをマクロの視点と呼んでおきます。他方の「私」のほうはといえば、地球上に何十億と生きている人びとというおおきな枠組みを、たったひとりのこの私という存在にギュッと凝縮するこころみになる。ならばこちらはマクロにたいするミクロの視点ということになるかと思われます。

マクロの視点をリサイズする方法

「私」自身というミクロの視点と、「私たち（人間のゆくすえ）」というマクロの視点。いずれのテーマをえらんで話をすすめていくべきか。私は目うつりするタイプなので、「どちらも気になるなあ」と迷ってしまいます。そしてそれなりに欲張りでもあるので、マクロとミクロ両方の場面転換にたちあってみたい気持ちがおさえきれません。ではどちらから話をはじめるといいのでしょう。

と、なげかけておきながらいうのもナンですが、たぶんどちらでもいいのです。好きずきなんだと思います。そこで私はマクロからはじめることにきめました。最初におおきくとらえて、そののちこれをミクロの視点に凝縮させる。この流れが美しそうだという、これはまったく私の勝手な美意識にもとづく選択基準でしかないのですが。

　しかし思うに「私たち」が生き延びるということ、すなわち「人間のゆくすえを問う」というのは、くりかえすようですが、ずいぶんだいそれたチャレンジです。あまりにも相手が巨大で太刀打ちできそうにないなと、私などは臆病風に吹かれひるんでしまいます。そんなときはどうしたらいいのか。

〝保留にする〟というやりかたはありそうです。相手が自分の手におえないと判断したばあい、まっこうからむきあうことはひとまずさける。にらまれて体がかたまってしまうのを事前に察知して、相手と目をあわすことなくすりぬける。

　これはたしかに安全策です。ある意味賢明な選択であるといえるのかもしれません。しかし保留や回避という選択は、自分自身がきずつくことはないかもしれないが、相手とむきあわないかぎり、なにものをも生むことはない。

　であれば逆にあたってくだけろとばかり、ともかく相手にぶつかってみるというのはどうでしょうか。ぶつかってみることで、つぎの段階にすすめるヒントがみつかる可能性はあります。しかしたいていのばあいは、残念ながらおおきすぎる相手にはじきとばされてしまいます。はじきとばされるだけならまだしも、ときには再起がむずかしくなるという不幸な結果をまねくことさえあるでしょう。「あたってくだけろ」は勇ましくはあるのですが、危険がともなうずいぶん無謀な選択肢でもあるわけです。

このままつきすすむのはあまりにも危険である。かといって後退してしまうとそこで話はおわってしまう。前進か後退か。私たちはいつもこうして、なんとも身動きのとれない状況におちいってしまうものなんですね。

ここで私は、ある提案をしてみます。それはAかBかの二者択一ではなく、“another choice”（もうひとつ別の選択）を工夫するというものです。といいつつ私が思い描いているのは。“resize”（リサイズ）という手法です。

リサイズとはなにか。それは、自分の身の丈にあうようにおおきすぎる相手のサイズを仕立てなおし、なんとかこの私でも着こなすことができるように工夫することを意味します。

じつはこのリサイズ、日頃からだれもがやっていることではあるのです。大容量のデータをダウンロードするとき、私のちいさなパソコンだと延々と時間がかかります。ときにはパソコンがフリーズしてしまったりする。そうなれば得たいデータ内容を確認することも不可能になってしまう。こういう事態におちいらないように大容量のデータをまずはかるくする。つまりちいさいデータにリサイズしたのちにダウンロードする。そうすれば私の小型パソコンでもデータ内容はそれなりに確認できるようになります。

こんなふうに説明すると、「なあんだ。おおきいサイズをちいさいサイズに変換することか」と安易に解釈される方もおられるかと思うのですが、それはちがいます。というのは、大容量のデータをパソコンでダウンロードするためのリサイズなら、そのノウハウはすでに準備されている。調べればすぐにマスターできてしまう。しかしそんな便利なハウツーがいつも用意されているわけではありません。私はいま「人間のゆくすえを問う」という難題に直面しています。この手におえそうにないお相手にしりごみしてしまい、ならばリサイズしてみたらというところまできたのですが、「どんなふうにリサイズできますか」とだれかにたずねてもおしえてくれるひとなどいませんし、便利な手引書もありません。

私は自分の身の丈にあうサイズを自力でみつけだしていく必要がある。あれこれ試行錯誤をくりかえして、自分なりのリサイズの方法にたどりつく必要がある。その自分なりの方法にいたるプロセスで、ときとして思ってもみなかった風景がたちあがってくることがある。

ここにリサイズのほんとうのおもしろさがある。このことを頭の片隅に残しつつ、さきにすすむことにいたします。

〝ＳＦの世界〟にリサイズする

これから私なりのリサイズについてのお話をするのですが、えらそうな口をきいたわりには、そこですかと拍子ぬけされるかもしれません。というのもリサイズの方法として私がみつけたのは、〝ＳＦの世界〟というものだったからです。「人間のゆくすえを問う」という大テーマをＳＦの表現世界におきかえてみたらどうかと思いついたわけですね。でもなぜＳＦの世界がリサイズになりうるのか。

比較のために、科学的な学術論文といったものをひきあいにだしてみます。学術論文を深く読みこむためには、専門的な知識も必要ですし、専門用語の理解も不可欠です。特殊な数式がでてくるかもしれません。門外漢の私には、それらに興味があってもやはり荷がかちすぎます。私には手におえない相手です。

ＳＦのほうはどうか。私はＳＦ小説を背筋をのばし正座して読むなんてことはしません。

作者には少々失礼にあたるかもしれませんが、寝っころがって読んでもじゅうぶんにたのしめます。お菓子を食べながらでも、ＳＦ映画はじつにおもしろい。

つまりＳＦとは娯楽作品であり、エンターテインメントの世界なんです。そしてエンターテインメントであれば、私も構える必要がない。無理なくつきあえる。自分自身の身の丈にあったサイズ感があるわけですね。

「人間のゆくすえを問う」という大テーマを、ＳＦというエンターテインメントの世界をとおして自分の身の丈にあったながめかたをすれば、この私の眼前にもなにがしかのハッとするような風景がたちあがってくるのではないか。そこに期待してみてはどうかと、ＳＦへのリサイズによってすこしばかり視界がひらけてくる思いがするのでした。

おもしろければ、まちがっていてもよい

ところでＳＦには興味深い特徴がありまして、それはひとことでいうところです。

おもしろければ、まちがっていてもよい。

ここでふたたび学術論文をひきあいにだしてみます。どちらがいいとかわるいとかそういう品定めをしたいからではありません。学術論文的なものとＳＦ作品とのちがいについて確認しておきたいからにすぎません。

学術論文のばあいですが、論文でなんらかの仮説をたてたとしますと、その仮説のたしからしさの根拠を順序だてて証明する必要がある。裏づけのない仮説は学術論文としては失格です。

ＳＦのばあいはどうでしょうか。ＳＦ小説に火星人があらわれたと書かれてあったからといって、作者に「火星人が存在するという根拠をしめせ」などと要求するのは、いうまでもなくナンセンスです。ＳＦ小説とはサイエンスそのものではなく、サイエンスをテーマとしたフィクションです。ＳＦ小説にとって重要なのは、火星人を登場させることによっておもしろい物語（フィクション）が語られることであって、まちがっているかいないかよりも、おもしろいかどうかが重要です。

ところがこの話にはつづきがあります。ここからなんですね、ＳＦのおもしろいところは。

ＳＦには予見性がある

ＳＦ作品の特徴として、「おもしろければ、まちがっていてもよい」というのをあげました。この「まちがっていてもよい」なのですが、これはかならずしも「まちがっていなければならない」ということを意味してはいません。まちがっていてもいいけれど、もちろんまちがっていなくてもよい。そしてＳＦの世界がまちがっていなかった、つまり図星だったという結果をもたらすことが非常にしばしばおこりうる。このＳＦがもつおどろくべき予見性に、すでにおおくのみなさんが気づいているとは思うのですが、あらためてここでしっかり確認しておきたいと思います。

　これからいくつかのＳＦ作品をとりあげてみます。それらの小説や映画はいずれもが、ＳＦ通の方でしたら「ああ、あれね」と、いまさら説明するまでもない古典的な名作ぞろいです。もちろんそれらの諸作品を今回はじめて知る方もあるでしょう。それぞれの立場で私の〝ＳＦ語り〟につきあっていただければと思います。ということで、最初は『復活の日』です。

作者は小松左京さん。１９６４年に発表されました。日本のＳＦ小説を代表する一冊です。１９６４年といえば東京オリンピックが開催された年でした。この時期、日本は高度経済成長期にあり、そんな日本でアジア初となるオリンピックが開催されました。まえへまえへとすすんでいくあかるい気分が日本中にみちあふれた時代だった。このひたすら前向きな日本で、小松左京さんは『復活の日』というなんともお先真っ暗な物語を書きました。

『復活の日』には物語を構成する主要なみっつの要素がありました。核戦争、地震、そして三番目にウイルスだった。実験室で製造された史上最悪のバイオウイルスが、輸送途上の飛行機の墜落によって地上にばらまかれることになり、ここに核戦争と地震が連鎖して、人類が意外と簡単にほろびてしまうという、とんでもない物語です。

　こうして人類はほろびてしまうのですが、ひとにぎりの人びとがある理由によって奇跡的に〝生き延びる〟。そのひとにぎりの生きのこった集団が一歩また一歩とあゆみだすところで小説は終わっている。この最後のシーンが小説のタイトルになっています。

『復活の日』を私は１９７０年代なかばに読んだと記憶しています。そしてそのときの読後感は〝おもしろかった〟。

なぜおもしろかったかといえば、１９７０年代なかばの私には、小説の内容があまりにも現実ばなれしていたからです。突飛な発想でこんなことありえないよなあ……という呑気な気分が、「おもしろかった」という読後の印象になっていった。

しかしいま読むと、『復活の日』に書かれていたことは、なんら突飛ではありません。危機感をともなう現実そのものとしてつきつけられる。およそ60年まえに、いまの世界状況をすでにこのＳＦ小説は図星でいいあてていた。「まちがっていてもおもしろければよい」というエンターテインメントの世界に描かれた人間の運命が、けっして「まちがっていなかったのだ」といまさらながらにおしえられおどろきを禁じえないのです。

ＳＦにかくされた共通テーマをみつけだす

これからいくつかのＳＦ小説やＳＦ映画を列挙してみます。なぜ列挙するかというと、これらの諸作品には共通のテーマがあるからです。これから紹介する諸作品をあらためて読んだり、観たりしていたのですが、すると「おやおや、そういうことか、ここには共通のかくされたテーマがあったのだ」と気づかされたのです。

紹介したい作品は、つぎの四作です。

映画『２００１年宇宙の旅』スタンリー・キューブリック監督　１９６８年
小説『アンドロイドは電気羊の夢を見るか？』フィリップ・Ｋ・ディック　１９６８年
映画『ブレードランナー』リドリー・スコット監督　１９８２年
小説『ニューロマンサー』ウィリアム・ギブスン　１９８４年

私がこれらの作品を熱心に読んだり観たりしていたのは１９８０年代でした。１９８２年公開の映画『ブレードランナー』が大変な話題となりました。その影響がおおきかった。近未来物やサイバーパンクがブームになり、よくはわからぬままそれらに描かれるイメージのつよさにひかれ、ＳＦ物にハマっていた時期がありました。

当時はこれら一連の作品のあいだに共通のテーマがあるという意識はありませんでした。一作ずつ別個にたのしんでいた。しかしふりかえりますと、それらがふくみもつ共通のテーマに気づかされます。時代がＳＦの世界に追いついてきたのかもしれません。

結論からいうと、これらの諸作品に共通するテーマ、それは〝人工知能（ＡＩ）〟です。なんだそんなことかとまたまた期待はずれだったかもしれません。

たしかに人工知能（ＡＩ）がＳＦ作品に登場すること自体はめずらしいことではない。ありふれたＳＦ的題材とさえいえるかもしれません。ただ今回とりあげているＳＦ作品に共通するのは、人工知能（ＡＩ）それ自体というよりも、人工知能（ＡＩ）の〝存在のありかた〟です。なんというかこれらの作品にはおなじ匂いが感じられるのです。ではどんなふうに人工知能（ＡＩ）が登場しているのか、各作品にそってすこしばかりふりかえってみることにいたします。

『２００１年宇宙の旅』とＨＡＬ９０００

本作はスタンリー・キューブリック監督のあまりにも有名なＳＦ超大作です。太古と未来を映像美によってダイレクトにつなげてみせる超絶技巧の場面転換はみごとでした。この映画が公開された１９６８年の２年後、１９７０年に日本で開催された万博（EXPO'70）のすべてがすでにここにあったといっても過言ではない。

全四部構成になっており、その三番目「木星探査計画」とテロップがはいるセクションがもっともながく、上映時間約２時間半のうち１時間ばかりがこの三番目にわりあてられています。ゆえあって極秘にすすめられている木星探査計画の任務をになう宇宙船ディスカバリー号が舞台です。

ディスカバリーには高性能コンピュータ（ＡＩ）が搭載されており、名前をＨＡＬ９０００といいます。ＨＡＬにはディスカバリーのすべての制御が託されています。ところがこれまで一度もミスをおかしたことのないＨＡＬが、木星にむかう飛行途上で誤作動をおこしていることがわかる。

そこで乗組員のふたり（ほかの乗組員は全員人工冬眠にはいっている）が今後の飛行について話しあうのですが、ＨＡＬは人間の話を聴いたり自分で話したりすることのできる優秀なコンピュータだった。ですからふたりは音声が聞こえない場所をえらび、おおよそつぎのような会話をかわします。「ＨＡＬは誤作動をおこしている。ならばＨＡＬの接続を断ち、手動操作にきりかえるほかないだろう」と。

ところがＨＡＬは乗組員の会話内容を口のうごきを読みとることによって理解し、自分自身（＝ＨＡＬ）が〝生き延びる〟（＝接続を断たれることを阻止する）ために、乗組員たちの殺害計画をくわだてようとする。

『ニューロマンサー』と冬寂（ウィンターミュート）

本作はＶＲ（仮想現実）とリアルが複雑にいりくんだ、いわゆるサイバーパンク物の代表作です。読者は読みすすめていくうちに自分はいったいどこにいるのかがよくわからなくなってくる。めまいをおこしそうな、しかしじつにスリリングな物語です。この小説の冒頭七行ばかりを引用してみます。


　港の空の色は、空《あ》きチャンネルに合わせたＴＶの色だった。

「別に用《や》ってるわけじゃないんだけど……」

と誰かが言うのを聞きながら、ケイスは人込みを押し分けて《チャット》のドアにはいりこんだ。

「――おれの体がドラッグ大欠乏症になったみたいなんだ」

《スプロール》調の声、《スプロール》調の冗談だ。《茶壺《チャツボ》》は、筋金入り《プロ》国外居住者用のバーで、だからここで一週間飲みつづけても、日本語はふた言と耳にしない。(『ニューロマンサー』ウィリアム・ギブスン作、黒丸尚訳より)

世界中からあやしげな人びとがあつまってくるアジア(日本)のあやしげな都市チバ・シティ。ここに主人公のケイスが流れつくところから物語がはじまるのですが、冒頭の七行からでも察せられるように、語られる内容が読者には皆目わかりません。《スプロール》ってなんだろう。「《チャット》のドアにはいりこんだ」とあるが、この《チャット》ってなんだろうか。スプロール(=主人公が生まれた都市の名前)もチャット/茶壺(=チバ・シティにある外国人バーの名前)も作者のギブスンによる造語なのですが、ほとんどなんの説明もなくいきなりつかわれるので、読者は混乱してしまいます。

　こうして読者におもねる姿勢などまったくしめそうとしないにもかかわらず、なぜか物語世界の深みにはまっていくというのが『ニューロマンサー』です。読者はもう必死に追いついていくほかないという感じです。

タイトルの『ニューロマンサー』というのもギブスンの造語です。ニューロン（＝脳神経）とネクロマンサー（＝妖術師）の合成語で、なにを意味しているのかというと、これは本作にあらわれる人工知能（ＡＩ）の名前です。ところがややこしいのは、もうひとつニューロマンサーとペアになった人工知能があらわれ、こちらのほうがむしろ物語の中心になっていく。日本語訳（ハヤカワ文庫版）全５００ページばかりの約４分の１、１３０ページあたりに、もうひとつの人工知能がはじめて登場するシーンがあるので引用してみます。


「ケイス」

ケイスは横ざまに走り、本能的に壁を背にした。

「あんたへのメッセージだよ、ケイス」

というルーパス・ヤンダーボーイの服は、純粋な原色を順にめぐり、

「ごめん。おどかすつもり、なかった」

ケイスは背を伸ばし、両手をジャケットのポケットにつっこんだ。ケイスは《モダンズ》の青年より、頭ひとつ背が高い。

「気をつけろよ、ヤンダーボーイ」

「これがメッセージだ。冬　寂《ウインターミュート》」

と綴りまで言う。

「おまえからかい……」

とケイスは一歩踏み出した。

「いや。あんたへ」

とヤンダーボーイ。

「誰からだい……」

「冬　寂《ウインターミュート》」

とヤンダーボーイは繰り返し、うなずき、ピンクの鳥冠《とさか》のような髪を揺する。（同書より）

いかがでしょうか。この段階では読者は「冬寂（ウィンターミュート）」とはなんのことなのかわかりません。なぞめいた名前だけがつげられ、やがてこれがニューロマンサーとペアになったもうひとつの巨大な人工知能の名前なのだということがわかってきます。

このウィンターミュート、どういう〝存在のありかた〟をしているかというと、自分自身をさらに成長させていきたいと欲望する人工知能（ＡＩ）なんですね。一般的には人間が人工知能（ＡＩ）を活用し社会を成長させていくものとしてとらえられていますが、ウィンターミュートはそれをひっくりかえします。人間に操作されるのではなく、逆に自分自身を成長させるために人間をあやつっている。主人公のケイスは、ウィンターミュートの手足となってはたらく人間たちの攻撃をかいくぐり、やがて仮想空間上でこの巨大ＡＩ、ウィンターミュートに出会うことになります。

『ブレードランナー』とアンドロイド

本作は１９６８年に発表されたフィリップ・Ｋ・ディックのＳＦ小説『アンドロイドは電気羊の夢を見るか？』を原作に、１９８２年にリドリー・スコット監督が映画化した近未来物の代表作です。公開当時その映像美がおおきな話題となりました。主演はハリソン・フォード。

『ブレードランナー』にはミュータントが登場します。これは原作『アンドロイドは電気羊の夢を見るか？』に登場するアンドロイドと同義だと解釈してもいいかと思われるので、ここでは原作に敬意を表しアンドロイドに統一して話をすすめます。

アンドロイドとは、雑駁《さつぱく》な説明になってしまうのをおゆるしねがうなら、人工知能を搭載した人型クローン（のようなもの）である。

なぜアンドロイドがつくられたのか。第三次世界大戦が勃発、やがてこれが核戦争にエスカレートし、地球は劣悪な環境となってしまう。それでもおおくの人間が地球にくらしているのですが、かぎられた人間たちが火星の人工都市に移住したりもしている。そうした火星移住者には労働の担い手としてアンドロイドが提供される。火星に移住できる人間の数はかぎられているため、働き手がたりないというのがアンドロイド提供の理由です。いまの先進国諸国の人口減少と人手不足問題を彷彿とさせますね。

大量のアンドロイドがこうして生産されることになり、開発がすすむにつれアンドロイドの性能も向上し、ついには人間の諸能力をうわまわる高度なアンドロイドが誕生する。

人間は高性能のアンドロイドに脅威を感じ、ある制御装置をアンドロイドにくみこむことになる。それは寿命を４年間に限定させるというプログラムだった。４年がすぎると、どんなに優秀なアンドロイドでも寿命が自動的に絶たれてしまう。

人間のほうはそれでいいのかもしれませんが、アンドロイドの側にしてみれば話はかわります。「なぜ自分たちの寿命は４年なのか」と疑問を持ちはじめ、もっとながく〝生き延びたい〟とねがうようになる。

やがてアンドロイドたちのなかには火星を脱出し、寿命を決定する制御プログラムの解除法を探索すべく地球に潜伏する者たちがでてきます。この脱走をくわだてたアンドロイドを抹殺するいわばオフィシャルな殺し屋の職業名が、映画のタイトルとなっているブレードランナーです。ハリソン・フォードが有能な殺し屋（＝ブレードランナー）を演じます。

生き延びたいとねがうのはだれか

ＳＦ作品というものは、「人間のゆくすえ」をテーマにしているものだと私はずっと思いこんでおりました。主語（というか主役）はあくまでも人間であり人類であると。ところが上記の諸作品では、ごらんのようにもはや主語（主役）が人間（人類）ではなくなってきています。〝生き延びよう〟としていることの主語xに代入されるべきは、「私たち人間」ではなくべつのなにものかである。

『２００１年宇宙の旅』では、コンピュータＨＡＬはみずからが〝生き延びる〟ために宇宙船の乗組員の殺害をくわだてました（＝「生き延びること」の主語はＨＡＬ）。『ニューロマンサー』では、人工知能ウィンターミュートが〝成長しつづける〟ことを欲望し、その欲望の実現のために人間を逆操作する（＝ここでは主語はウィンターミュート）。そして『ブレードランナー』のアンドロイドたちは、４年間の寿命という制御プログラムを解除して〝生き延びよう〟とねがい、火星からの脱走をくわだてる（主語はアンドロイド）。

生き延びたい、成長したいとねがうのは、「私たち人間」だけではなさそうです。主語xの座は人間（人類）の専有物ではないのだと、ＳＦ作品はもう何十年もまえからくりかえし予告しつづけてきていたのだとはいえないでしょうか。

私たちの社会はいま、たしかにあせっています。なににあせっているかというとＡＩの導入にです。一刻もはやく精度のたかいＡＩを導入しなければ、国家も企業もきびしい競争社会を〝生き延びていく〟ことができないのではと、社会全体があせっている。

しかしＳＦ作品はすでによく知っています。人間は自分たちがこれからも生き延びようとしてＡＩ開発に余念がないが、このままＡＩが進化していけば、やがて人間とＡＩの能力が逆転するという、あのシンギュラリティ（技術的特異点）と呼ばれる地点に到達するだろうと。人間がＡＩをそだてているのではありません。ＡＩが人間に自分たちをそだてさせているのです。

人間目線の風景をＡＩ目線におきかえてみると、みえる風景はガラリとかわる。こちらからみるのとあちらからみるのとでは世界はちがう。このあたりまえにだれもがすでに気がついています。それでもなお、〝生き延びる〟のは自分たちだと、人間は〝主語〟の座をあけわたそうとする気配をみせません。そしていつまでたっても、こちらからではなくあちらからのながめがあることに、知らないふりをきめこんでいます。

人工知能（ＡＩ）の是非を論じたいわけではありません。近い将来、人工知能が人間にとってかわるだろうという、ＳＦ話に終始したいのでもありません。そうではなく、主語の座にすえる不動の主役として、私たちが「私たち人間」に固執しているかぎり、眼前にひろがるのはあいもかわらず、ここ数百年来、かわることのなかった人間中心主義的な風景以上のものではないのだと、そのようにいいたいだけなのです。

もちろん戦争や災害や差別や弾圧、そうしたくりかえされる人間の悲劇をまのあたりにすると、「人間が生き延びるために、私たちはなにをすべきか」という問いがもつ切迫感につよくさいなまれます。しかしそうした人間の、ある意味愚行の歴史をかえりみる方法としても、「私たち人間」という唯一無二であるかに思える主語（主役）と一度訣別してみるべきだと提案したいだけなのです。

主語として「人間」にかわりうるのは、ですからＡＩにかぎりません。「森」や「水」でもかまわないし、「ゴキブリ」だっていい。ゴキブリが生き延びるとはどういうことですかと問うことからみえてくる風景は、生き延びることの主語として「人間」にこだわっている風景とはおおきくちがってくるはずです。そのことなる視点からのことなる風景に思いを馳せる。すると見飽きてしまった、そしてみることに疲弊すら感じてしまっている人間の愚かないとなみとは別種の情景がたちあらわれて、ハッとさせられるのではないかと期待したいのです。

最後にこれは余談ですが、「最近の犬や猫は、服を着せられてもまんざらではなさそうですね。犬も猫も人間並みになってきたのかな」と冗談めかして、私自身が話していたのを思いだしました。そして「ああ、これもまた、人間サマをご主人（＝主語）とする視点なのかなあ」と考えさせられました。人間が動物を人間並みにとらえるのではなく、動物のほうを主語にして、動物が人間を動物並みにあつかってくれる世界像を思いうかべる。こういうのも、あの〃x〃になにを代入するかという問いにたいする答えにつながっている。

人間が生き延びるということの意味は、結局のところ〃生き延びること〃の主語（主役）の座から人間が降りてみることによってのみ得ることができる、そういう逆説的な発想がもとめられる時代にさしかかっているのかもしれませんね。

第 二 話

「私」が生き延びるということ・その1

―― フランシスコ・デ・ゴヤのばあい

2023年8月　書き下ろし

図1　フランシスコ・デ・ゴヤ
『カルロス四世の家族』1800 年

プラド美術館の思い出

第一話では、「私たち人間のゆくすえ」というおおきな枠組みについて考えてみました。今回はその枠組みをぐっと凝縮させ、何十億人という地球上の人びとのなかのひとりである「私」に焦点をしぼり、「この私自身が生き延びること」といういささか人間くさいお話をしてみたいと思います。

〝人間くさい〟ともうしましたが、自己告白やプライベートなぶっちゃけトークをしたいわけではありません。私は美術作品をつくる美術家です。ですから美術家としての「私」が、今後も美術作品をつくりつづけていく、つまり美術家として生き延びていくためにはどういうことをたいせつにしていったらいいのだろう。こういった個人的なテーマを、美術史上の画家たちの足跡にまなびつつさぐっていけたらと思っています。

それでここではふたりの偉大な画家に登場していただくことにいたします。フランシスコ・デ・ゴヤとディエゴ・ベラスケス。ともにスペインの画家ですね。

スペインのマドリードにはプラド美術館というすばらしい美術館がありまして、あそこにはみっつの入り口がある。中央にベラスケス門、むかって左にゴヤ門。右にムリーリョ門です。中央すなわち美術館のメインの入り口（玄関）がベラスケス門になっているのを知ると、いかにこの画家が尊敬されているのかがよくわかります。

ところが現在ベラスケス門はとじられています。基本、むかって左端のゴヤ門からしか美術館にははいれません。おそらく入館者の導線上の問題があるのでしょう。本来は玄関のベラスケス門からはいるべきなのですが、建物のまんなかからだと、はいってから右にいくルートと左にいくルートの二方向にわかれてしまい導線に混乱が生じます。それを回避して、できるだけ入館者がワンウェイで作品鑑賞ができるように配慮して、建物の一番端に位置し、しかも街の中心部にちかいゴヤ門から入場することになっていったのではと、これは私の憶測ですが、そう思います。

その真偽はともかく、ゴヤ門付近はいつも大勢の人びとでごったがえしています。中央のベラスケス門付近は（通常、とじられているわけですから）あまり人はおりません。中央に堂々と位置するベラスケス門は、専門家ごのみのもっとも尊敬されるスペインの画家ベラスケスを象徴し、お客で混雑している門の名前となっているゴヤは、もっとも人気のたかいスペインの画家として認知されている。プラド美術館の外観に、スペイン絵画にたいする人びとのすなおな感情があらわれていてなかなかおもしろい。

もちろん右側の門の名前になっているバルトロメ・エステバン・ムリーリョもすばらしい画家であることは、この画家の名誉のためにもつけくわえておくべきですが。

『カルロス四世の家族』は事件である

まずはゴヤの話からはじめたいのですが、あるテキストを参照することにいたします。井上靖による「『カルロス四世の家族』について」というエッセーです。私はこれを中央公論社刊『カンヴァス　世界の名画1　ゴヤ』という全24巻からなる美術全集の一冊のなかで読みました。

井上靖さん（１９０７〜１９９１）は、社会派（『氷壁』）からシルクロード物（『敦煌』）や自伝的小説（『しろばんば』）まで、はばひろいジャンルにわたり多数の作品を残した小説家です。

その井上さんがゴヤ作の集団肖像画『カルロス四世の家族』にプラド美術館で出会い、小説家としての想像力がいかにかきたてられたかを、たいへんおもしろく書いておられます。それはこんな書きだしではじまります。

　マドリッドのプラド美術館で夥しい数のゴヤの作品を見て、私なりに感動し、昂奮した日から、いつか十年の歳月が流れている。

　このエッセーが書かれたのが、掲載本の初版発行年である１９７４年だとすると、その十年まえということですから１９６４年ごろに井上さんはプラド美術館で「夥しい数のゴヤの作品」をみたということのようです。なかでもとりわけ『カルロス四世の家族』につよい関心を持たれたようで、エッセーのほかの箇所には「十日ほどの短いスペインの旅において、私はずっとゴヤに、ゴヤの『カルロス四世の家族』に熱をあげていた」とあります。

　プラド美術館で目にすることのできるゴヤ作品はたしかに「夥しい数」です。『カルロス四世の家族』のほかにも、『裸のマハ』と『着衣のマハ』、『マドリード、１８０８年5月3日（プリンシペ・ピオの丘での虐殺）』、それに一連の『黒い絵』シリーズなど名作ぞろいです。

そのなかでもなぜ『カルロス四世の家族』にとりわけひかれたのか。その理由についても井上さんはこんなふうに書いている。

> 私が小説家として少なからずこの大作に興味を持ったのは、上述したようにこれが見事な歴史画であったからである。一八〇〇年春のこの離宮の一室から十三人のモデルを連れ出し、それをそのまま歴史の中に歩ませてみたいという誘惑を感ずるほど、彼や彼女たちは歴史の中の人物になっているのである。

『カルロス四世の家族』の画中に描かれた人びとはやがて歴史の荒波に翻弄されることになっていく。しかしいまはまだ事件はおこっていない。物騒ないいかたをあえてするなら、この集団肖像画のそこかしこに事件を誘発させる時限装置がしかけられているが、おもてむきはまだ平穏なのです。

『裸のマハ』と『着衣のマハ』にはスキャンダルが、『プリンシペ・ピオの丘での虐殺』には歴史が、『黒い絵』には人間の内面の闇が、つまりは事件（ドラマ）がすでに描かれています（＝発覚している）。小説家の仕事とは事件（ドラマ）をつむぎだすことなのだとすれば、事件がすでに画家によって描きつくされてしまった絵画には、たとえそれが傑作であったとしても、小説家の想像力はさほどかきたてられないのかもしれません。

『カルロス四世の家族』には事件（ドラマ）がまだかくされている。発覚していないのですが、その不穏な気配はふつふつと感じられる。その不穏な気配の正体にせまっていくことで、おのずと小説世界は生まれてくるというわけです。

家族の肖像画にかくされた秘密とはなにか

「ゴヤはいかにして画家として生き延びたか」というテーマを念頭におきつつ、これから、井上靖さんのエッセーを参考にしてゴヤ作『カルロス四世の家族』の魅力の秘密をさぐっていきたいと思います。

この集団肖像画の登場人物を概観することからはじめます。中央むかってやや右にたち、勲章をいっぱいつけてご満悦の男性。この人物がゴヤに家族の肖像画を依頼した張本人、カルロス四世（当時52歳）。

中央でちょっとのけぞるような姿勢でこちらをにらみつけている人物が、カルロス四世の妃マリア・ルイーサ（48歳）。

マリア・ルイーサが肩に手をかけている王女がマリア・イサベール、妃と手をかたくにぎりあっている赤い服の幼い男子が第三皇子フランシスコ・デ・パウラです。

　この主要な４人のまわりには、青い服を着たアストウリアス公（この皇太子はのちに父親であるカルロス四世を失脚させ、みずからが王座につくことになる）や、赤ん坊をだいている第三王女ドーニャ・マリア・ルイーサ・ホセフィーナ（現在は嫁いでパルマ公妃となっている）ら、いわくありげな家族や親族ら計13人がならんでいます。

図２　『カルロス四世の家族』（部分、ゴヤ自身が描かれた箇所）

　13人といいましたが、画面左端の奥にひっそりと、家族や親戚縁者とは異質の雰囲気で描かれた人物がいます。これ、作者のゴヤ自身です。ですから正確には14人が画中に描かれていることになる（図2）。

この絵をみていて、「あれっ」と不思議に思えることがあります。それはカルロス四世のたっている場所です。華麗なる一族の栄光を世に伝えんと、おきにいりの宮廷画家フランシスコ・デ・ゴヤに制作を依頼した張本人であり、しかも玉座に君臨するはずの国王であるにもかかわらず、画面の中央からずれたところにちょこんとたっている。たのしげな顔をしてはいますが、よこに押しのけられた格好で、なんだか肩身がせまい。これにたいし妃のマリア・ルイーサのほうは堂々とセンターを勝ちとっていますね。

カルロス四世は人柄のよい王様だったようですが、少々お人好しでもありました。国をひとつにたばねていくリーダーシップにも欠けたひとだった。

政治むきの仕事は、むしろ妃のマリア・ルイーサのほうがはるかに優秀だった。井上さんの言葉をかりるなら、「何事も男まさりの彼女の同意を得なければ、事は運ばなかった」ということのようでした。「男まさり」という表記の是非はおくとして、ともかくカルロス四世はマリア・ルイーサの賛同を得ることなしには、この集団肖像画を実現させることすらできなかった。

で、夫がいいだした「家族の肖像画プロジェクト」に、マリア・ルイーサはふたつ返事で賛成したかというとそうはなりませんでした。マリア・ルイーサは迷ったのです。なぜかというと、和気あいあいとした家族の肖像画に自分が安易におさまることに抵抗感をおぼえたからです。というのもマリア・ルイーサは自分とともに政治をきりもりしている宰相のマヌエル・デ・ゴドイと愛人関係にあったからなんですね。このいきさつについて井上さんはつぎのように書いています。

> （略）問題は自分が夫カルロス四世の寵臣であり、国政を自分ひとりで切って回している宰相ゴドイと愛人関係にあることが、どれだけ宮廷に、朝臣間に、一般の国民に知れわたっているかということにあった。これほどマリア・ルイーサにとって判断のつかぬことはなかった。正確に判っていることは夫のカルロス四世だけは知っていないということ、これ一つである。それ以外のことはかいもく見当がつかなかった。フランスを中心とした各国の政治的かけひきやその布石を読みとる方がずっとらくだった。

ゴドイとの不倫関係に気づいていないのは夫カルロス四世だけとは、華麗なる一族をめぐる、小説家ならではの読者をよろこばせるゴシップ記事的な筋立てですが、ともかくマリア・ルイーサにとっての懸念は世間の風評です。よからぬうわさがすでに世にひろまっているのであれば、家族の団欒に自分がおさまりかえっている絵などというものは、あまりにもあからさまにウソっぽくて世間から失笑をかうことにもなりかねない。

しかしここでマリア・ルイーサは熟考し、夫からの提案をうけいれることを決断する。ふたたび井上靖さんのエッセーから引用いたします。

> 最後にこの不貞で権勢好きな妃に、夫の申出を承諾させたものは、自分と宰相ゴドイとの間に生まれたまだ幼い王女と王子を、スペイン王家の権勢と栄光の中に立たせて、それを一幅の絵にしておくことが、幼い二人の将来にとって、決して悪いことではないと考えたからである。描かないでおくよりは、描いておく方がよかった。

マリア・ルイーサの左右にたつふたり、マリア・イサベールとフランシスコ・デ・パウラはカルロス四世の実子ではない。不倫相手のゴドイとのあいだに生まれた子どもであり、それゆえ母親のマリア・ルイーサにはそのゆくすえが案じられる。ならば、このふたりを華麗なる一族の一員として「一幅の絵にしておくことが、幼い二人の将来にとって、決して悪いことではないと考え」、マリア・ルイーサはこの集団肖像画プロジェクトに許可をあたえることにしたというわけです。なるほどたしかに、『カルロス四世の家族』の画中において、センターをとるマリア・ルイーサとその左右のふたりの子どものトリオが、もっともかがやかしい場所を陣どっています。

しかし話はここでおわりではありません。井上靖さんは小説家としての想像力をエスカレートさせ、『カルロス四世の家族』についてのさらなる深読みをこころみました。

さきほどからみてきましたように、マリア・ルイーサとふたりの幼い子どもの三人は画中の中央で、ほかの人間の介入はゆるさないぞとばかり、結束のかたいピラミッドの構図を形成しており、カルロス四世はその仲間いりをさせてもらえず押しのけられている格好なのですが、この絵づくりの意味を井上さんはさらにこんなふうに深読みするのです。

> 妃とカルロス四世の間には、幼い王子が立っているだけで、その背後はあいている。画面の他の部分は、どこにも登場人物が重なりあい、多少ひしめき合っている感じだが、ここの部分だけがあいている。

そう指摘されるとたしかにマリア・ルイーサとカルロス四世のあいだには奇妙な隙間がある。夫婦間に距離があり、家族の肖像画にしてはいかにもよそよそしい（図3）。このポッカリあいた空隙について、井上さんの指摘はこうつづきます。

（略）〝ここはこの幼い子供たちの父親ゴドイが立つ場所です。近寄ってはいけません〟――妃は心の中でそんなことを夫のカルロス四世に言っているかのようである。

図３　『カルロス四世の家族』（部分、カルロス四世とマリア・ルイーサのあいだにある隙間）

この家族の肖像画にはもうひとり、かくれた登場人物がいる、裏テーマがあるというわけです。その裏テーマの張本人が愛人マヌエル・デ・ゴドイである。マリア・ルイーサと愛人ゴドイ、そしてふたりのあいだに生まれた子どもたち、この４人がおりなす〝もうひとつの家族の肖像〟とでもいうべき爆弾（事件）がこの絵には仕掛けられている。ですから不在のゴドイもふくめると、計15人の登場人物が画中で人間のナマナマしいドラマをあやなしているということになる。

もちろんすべては小説家の想像力の産物です。史実にもとづく厳密な研究とは異なります。しかし『カルロス四世の家族』という集団肖像画の魅力を満喫できる、じつに刺激的な美術鑑賞だと私は感心してしまいました。

ゴヤ vs. マリア・ルイーサ

『カルロス四世の家族』、それは一見、華麗なる一族のかがやかしい集団肖像画にみえながら、じっさいは画中にはなまぐさい、それゆえに人間的でもあるドラマがかくされています。一筋縄ではいかぬ奥行きのある絵なのですが、これを描いたフランシスコ・デ・ゴヤもまた、一筋縄ではいかぬ精神の持ち主であったように思えます。

家族の肖像画が完成しお披露目となったときの様子を、井上靖さんはこんなふうに書きあらわしています。

> （略）マリア・ルイーサの方は初めてこの肖像画（「カルロス四世の家族」のこと）を眼にした時、すんでのところであっと声をあげるところだった。この前の二枚の肖像画の自分とは何と大きな違いであろう。あの口もとの気品ある微笑はどこへ行ったのか。あの若さを感じさせる軽快な身の構えはどこへ行ったのか。顎を張り、口もとをきっと結んだところは、我執とひとすじ縄ではゆかぬ権勢欲を示す以外の何ものでもないではないか。しかも老いている。

ひらたくいえば、ゴヤはマリア・ルイーサを醜く描いている。鑑賞者の私でさえおやおやとびっくりしてしまいますが、この顛末にもっともおどろかされたのは、いうまでもなくマリア・ルイーサだった。

当時の事情をかんがみればこれは途方もない大事件です。ゴヤがいくら優秀な画家であったとしても、権力者の側からみれば宮廷画家として召しかかえた雇人にすぎません。気にいらなければいくらでも解雇できるし、投獄や極刑に処すこともたやすい。圧倒的な力の差があるわけですが、それにもかかわらずゴヤは、当時のスペイン王国の実質的な最高権力者が

「すんでのところであっと声をあげる」ような絵を描いている。これが大事件でなくてなんでしょうか。

　ある肖像画家から聞いた話ですが、肖像画を描くとき依頼者によろこんでもらえるためのコツがあるのだそうです。それは、モデルになる人物をじっさいより〝すこしだけキレイに描く〟こと。極端にかけはなれてはだめです。〝すこしだけ〟というところがコツだという。〝すこしだけキレイに描く〟とモデルになったひとは「なんと自分にそっくりなことか」と満足する。ところが画家がみたそのままを描くと、「なんだか自分とはちょっとちがう」と不満げな感想がかえってくる。

　凡庸な宮廷画家なら、王侯貴族たちのごきげんをそこねないように、〝すこしだけキレイに描く〟という肖像画のノウハウを心得た絵画制作にせっせといそしむことでしょう。それが宮廷で安全に生き延びていく処世術というものだからです。

　ゴヤはそれをしていません。こともあろうことか自分の目にみえるそのままのマリア・ルイーサを描いてしまっている。しかもこれほどの無礼をはたらきながら、当のゴヤ自身はこの家族の肖像画のなかにそしらぬ顔つきでおさまりかえっている。

この手ひどいしうちにマリア・ルイーサはいかなる反応をしめしたか。その顛末を井上靖さんはつぎのように語ります。

> （略）マリア・ルイーサがこの甚だ不満な肖像画に我慢できたのは、幼い王女イサベールが充分自分に似て、しかも美しく気品高く描かれており、王子パウラが、これまた自分に似て、あどけなく怜利に描かれていたからである。この二人の幼い者を守るためには、自分はこのような表情をしていても仕方ない。実際またこのような表情をしているかも知れないのだ。こうマリア・ルイーサは思ったのである。

ゴヤは画家としていかに生き延びたか

ここで視点をかえてみます。井上靖さんの関心は画中に登場する人びとがあやなすドラマなので、画家ゴヤについての言及はあまりありませんでした。これにたいし、井上さんのエッセーを読みながら、私が関心をもったのは、むしろ『カルロス四世の家族』を描くことになったゴヤの画家としての心情です。ですからここからはゴヤ目線で話をすすめてみることにいたします。『カルロス四世の家族』をめぐり、ゴヤが画家として生き延びるためにやってのけた一種の賭けについて、以下、私見を述べてみたいと思います。

優秀としかいいようがない画家としての目と腕をもつゴヤは、当然のことながら凡庸な宮廷画家にはなりたくはなかったはずです。お追従めいたつまらない絵ではなく、「いい絵」を描くことが、画家として生き延びることの意味だととらえていた。権勢欲や愛欲や打算、あるいは喜怒哀楽の感情。そうした表ざたにしたくなくても、おのずとあらわになってしまう人間の性《さが》から目をはなさない。キレイごとではなく善悪や美醜をこえた人間の赤裸々な姿を描きだす。こうした、現代の私たちが「いい絵」として認識する美意識の先駆とされるのがゴヤでした。

集団肖像画『カルロス四世の家族』とは、権力者マリア・ルイーサの政治的思惑と、一介のお雇い画家にすぎなかったゴヤの芸術的価値とのあいだでくりひろげられた、熾烈な格闘技のようにすら感じます。たたかいとはいっても、剣をふりまわしたり兵をおくりこんだりするような戦争や革命ではありません。個人と個人の内面的な心理のぶつかりあいです。以下にその心理戦の流れをまとめてみました。

round 1：口火をきったのはマリア・ルイーサ。自分が満足できるしつらえの絵になるよう、暗黙のうちにゴヤに圧力をかける。自分自身を絵の中央に配し、ふたりの子どもをかがやかしく描くようにと、ゴヤににらみをきかせます。

round 2：これにたいしゴヤは従順なフリをしてみせる。マリア・ルイーサの意向を忖度し、その意向を反映した絵を描こうとする。カルロス四世には気づかれないように、マリア・ルイーサとふたりの子どもを中央にたたせ、だれが宮廷の中心であるかを、それとなく（あるいはあからさまに）描いてみせる。

ふたりの子どもはとくにかがやかしくあらわされていますね。元来、子どもにたいするゴヤのまなざしは、いつもやさしい愛情にみちています。おとなへの容赦のないまなざしとはまるでちがい、子どもには無垢な夢を託すようなところがある。ですからイサベールが「美しく気品高く描かれており」、王子パウラも「あどけなく怜利に描かれていた」というのも、ふたりの子どものへの、ゴヤのすなおな共感のあらわれだったのでしょう。

round 3：以上のような忖度（＝迎合的な態度）によって、自分の描く『カルロス四世の家族』を完成させるため（＝生き延びるため）の、いわば根まわしをする。ゴヤはなかなかたくみな布石を打っています。こうしてマリア・ルイーサの思惑どおりであるかのようにすすみ、しかし最後にゴヤはおおきな賭けにでる。マリア・ルイーサが「すんでのところであっと声をあげるところだった」というあれですね。すべてはあの顔の描き方を王妃にみとめさせるためにしくんだ、用意周到な戦略だった。

結果はさきに紹介した井上靖さんのエッセーのとおりです。ゴヤは「いい絵とはなにか」という、画家としては妥協できない一念を持ちつづけ、たくみな布石を打ちつつ、最後はその持論をたっぷり絵の具にまぜこんで大作を実現させたわけですね。

このように解説してしまうと、いかにもゴヤはマリア・ルイーサに打ち勝ったかのような印象をあたえてしまいますが、はたしてそういうことなんでしょうか。

そもそも芸術は勝敗ではありません。たしかにゴヤは、芸術的価値についての自説をまげようとはしない不屈の画家だった。たいして井上靖さんのエッセーでは、マリア・ルイーサは強欲きわまりない典型的な悪人キャラクターのように書かれています。

しかし興味深いのは、「すんでのところであっと声をあげる」ような絵であったにもかかわらず、マリア・ルイーサがこの絵を最終的には容認したという点です。

もしマリア・ルイーサがゴヤの絵の価値に無知蒙昧の人物であったとしたら、今日こうして私たちが『カルロス四世の家族』という問題作を目にすることもかなわなかったはずです。ゴヤにとってもっともてごわい鑑賞者はおそらくマリア・ルイーサだった。この人物を納得させられる強度を持つものでなければ、それは風雪にたえうる「いい絵」かつ「すごい絵」とはなりえない。作品を制作する側と作品を鑑賞する側のあいだにおける、人生を賭したといってもいいようなあのはりつめた応酬、あれがなければ傑作は生まれない。『カルロス四世の家族』はゴヤ作というより、ゴヤとマリア・ルイーサという立場も価値観も真逆であった両者による、みごとなコラボレーションであったというべきなのかもしれません。

蛇足ながら、愛人ゴドイのためにマリア・ルイーサの隣を空席にしておくというアイデアは、王妃へのサービス精神のようにもみえますが、しかし反面、ゴヤはマリア・ルイーサに

「私はあなたの秘密を知っていますよ」と、いわくありげなサインをおくっているかのようでもある。

ゴヤは自分がたやすくはなびかない、したたかな画家であることをそれとなく匂わせたかったのかもしれません。子どもにはやさしく、大人には辛辣な態度をくずさない画家。それがゴヤでした。ゴヤはあまりにも頑強な精神の持ち主なので、私自身はじつはちょっと苦手なのですが、でもこの画家の生き延びるための手練手管にはまなぶべき点はおおいと思います。

第 三 話

「私」が生き延びるということ・その2

―― ディエゴ・ベラスケスのばあい

2023年8月　書き下ろし

図1　ディエゴ・ベラスケス
『ラス・メニーナス』1656年

『ラス・メニーナス』とのはじめての出会い

ゴヤ作『カルロス四世の家族』のつぎに話題にしたいのは、『ラス・メニーナス（侍女たち）』です。ディエゴ・ベラスケスが描いた西洋美術史における最大の謎ともいえる大作です。ここでもまた、ゴヤとは異なりますが、やはり「画家が生き延びるということ」についての興味深い態度表明がみられます。

ディエゴ・ベラスケス（１５９９〜１６６０）は、スペインのバロック時代を代表する宮廷画家でした。仕えていた国王はフェリペ四世です。

フェリペもまたカルロス四世と同様、政治的な手腕に欠けた国王だった。しかし無類の芸術愛好家で、ベラスケスは画家としての活動とともに国王の命をうけ美術作品の収集も担当しています。その収蔵品はのちにプラド美術館の美術コレクションの骨格をなしていく。ベラスケスとフェリペ四世がプラド美術館の礎《いしずえ》をきずいたわけですね。

私が『ラス・メニーナス』を知ったのは１９７０年代のはじめでした。日本の美術雑誌で紹介されておりました。当時ベラスケスという画家の名前や作品は日本でさほどなじみがあるわけではなく、作品を実際に目にする機会もほとんどありませんでした。マネや印象派の画家たちの先駆的な役割をはたしたとか、そういった説明が解説書にはありましたが、私にはどうつきあっていったらいいのか、ながらくその手がかりがつかめないままでした。

１９９０年代にプラド美術館ではじめて実作を目にしたときも、「へえ、これがあの有名な……」という感じで、それ以上のことはよくわからなかった。それでもプラド美術館の中央に位置するベラスケスルームにかざられたこの大作（３１８×２７６センチ）のまえにたつと、館内のほかの作品のいずれとも異なる、なにかしら異常な雰囲気がただよってくる。それだけはたしかなことで、この不思議さっていったいなんだろうと、『ラス・メニーナス』との出会いははじまったのでした。

『ラス・メニーナス』は過激である

『ラス・メニーナス』は、フェリペ四世の宮廷内（正確には「宮殿の地下一階・皇太子の間《ま》」）に集う宮廷の人びとが描かれた集団肖像画です。

登場人物でひときわ目をひくのは、集団の中心で発光しているかとさえ感じられるマルガリータ王女。おん歳5歳の幼女です。

マルガリータ王女の両脇にはマリア・アグスティナ・サルミエント・デ・ソトマイヨールとイサベル・デ・ヴェラスコ。このふたりが画題にもなっている〝侍女たち〟。おそらくまだ十代の女官です。

侍女イサベルの右前にいるのはマリバルボラ。そのよこでおおきなマスチフ犬にいたずらをしているのはニコラシーリョ。マリバルボラはおとなですが短身で、ニコラシーリョも身体の成長が子どものときのままの若者で、イタリアからつれてこられた。こうした身体的特徴をもった人びとや道化（喜劇役者）たちがあつめられ、宮廷人たちをよろこばせる役割をになっていた。

もうひとり、画面左のおおきなキャンバスごしに顔をのぞかせている人物がいます。いうまでもなく『ラス・メニーナス』の作者ベラスケスです。

ほかの登場人物もチェックしてみます。侍女イサベルとマリバルボラのあいだからみえる男女ふたり。それから奥のドア付近に男がひとりふりむいています。そのドアの左隣の壁にかけられた鏡には、ぼんやりとうつる男女。この計5名はすべて宮廷のおとなたちです。

やはりこの絵は不思議です。一般的な宮廷絵画ではその姿が描かれることがないか、たとえ描かれたとしても端役として顔をだす程度にとどまる存在が、『ラス・メニーナス』では主要人物として画中のもっとも光のあたる場所におおきく描かれている。人間ではなくマスチフ犬が最前列に巨体をみせているというのも、異例の構図に思えます。

これにたいし宮廷のおとなたちはどうかといえば、ちいさくそしてディテールをはぶいた描きかたで、ぼんやりとしかあらわされておりません。登場人物というよりは背景として処理されているかのようですらある。それにこともあろうか、マルガリータ王女の父親であるフェリペ四世とその妃にいたっては、部屋の一番奥の壁にかけられた鏡のなかです。目鼻さえさだかには描かれておらず、まるで亡霊かなにかのように茫漠たる存在としてあつかわれています（図2）。

図2　『ラス・メニーナス』鏡部分

『ラス・メニーナス』は、最初はずいぶんおとなしい絵画世界に感じられます。さしたるドラマティックな出来事もみあたらず、豪華絢爛なはなやかさもありません。ちょっと地味だな、当初私はそんなふうにさえ感じておりました。

ところがじっくりみなおすと、じつに異例というか異常というか、鑑賞者がとまどいをおぼえてしまうほどの過激性を秘めている。

「子どもたち」「見せ物的な役割をになう人びと」「政《まつりごと》に口をさしはさむ立場にはない画家」、そして「人間ではなく犬」。こうした権力や支配の座からとおざけられた存在、世界の周縁を居場所として強いられた人びとや動物が、ここでは主要な登場人物としてあかるい光のなかに描かれている。そして最高位であるはずのフェリペ四世が、もっともちいさく、もっともおぼろげな存在として鏡の奥に幽閉されている。ちからのあるものはおおきく、よわいものはちいさく描くという宮廷絵画の定石、力学がひっくりかえっている。これが過激でなくてなんでしょうか。

ベラスケスはかくも無礼千万な宮廷絵画をなぜ描くことができたのか。国王にたいし、こんな失礼な絵を描いてしまっては、宮廷画家として絵を描きつづけることすらあやぶまれるのではないか。やはり『ラス・メニーナス』は、みればみるほど謎めいた絵画に思えてならないのです。

『ラス・メニーナス』の謎を追う

ところでこの『ラス・メニーナス』、元来、古典絵画にはこうした画題（作品タイトル）をつける習慣はありませんでした。ベラスケスが画題をつけたわけではなかった。これはあとづけのものです。それにプラド美術館に所蔵されることになったときに付された画題は『フェリペ四世の家族』だったという。

そもそも画中にふたりの侍女が登場しているとはいえ、なぜマルガリータ王女をさしおいて『ラス・メニーナス（侍女たち）』なのかもよくわからない。そうかといって、それ以前につけられていた『フェリペ四世の家族』というのも疑問です。「～の家族」とうたわれているが、フェリペ四世の家族は登場しておりません。マルガリータ王女がただひとりで孤独にかがやいているだけです。マルガリータの両親であるフェリペ四世とその妃が登場してはいますが、鏡の奥の茫漠たる存在として描かれているだけ。これでは到底「家族の肖像画」といえそうにはありません。『ラス・メニーナス』も『フェリペ四世の家族』も、実際に描かれている内容とのあいだにずれのある画題だという印象がいなめません。

ところがプラド美術館に所蔵されるよりももっと以前にさかのぼり、１６６６年（ベラスケスが世を去って6年後）に作成された歴代王家の美術品台帳によれば、本作は「国王の夏の執務室に飾られていた」とあると知りました。[*1]

この情報は私に重要なヒントをあたえてくれました。もしこれが事実だとすれば、当初この絵は国王の執務室にかざられることを目的として描かれたということになる。だれもが目にすることのできる公共スペースではなく、仕事場とはいえそれなりにとじられたプライベートな場所、社長室のような部屋にかざられるべき絵として制作されたというわけですね。

それからもうひとつ、また別種の重要な情報を得ることができました。それは『ラス・メニーナス』研究者によるある分析結果です。

もしベラスケスが画中の登場人物たちをじっさいに皇太子の間《ま》にたたせて描いたとしたら、いかなる配置になるのかという図式なのですが、こうした画中の登場人物の配置を算出するために、画家ベラスケスがどこからこの情景をながめていたかという、画家の視座の確定が必須になってきます。

分析結果によれば、画家は絵のもっとも近景からおよそ6メートルはなれたところにイーゼルをたて、目のたかさおよそ１・２５メートルのところから、皇太子の間をながめていた

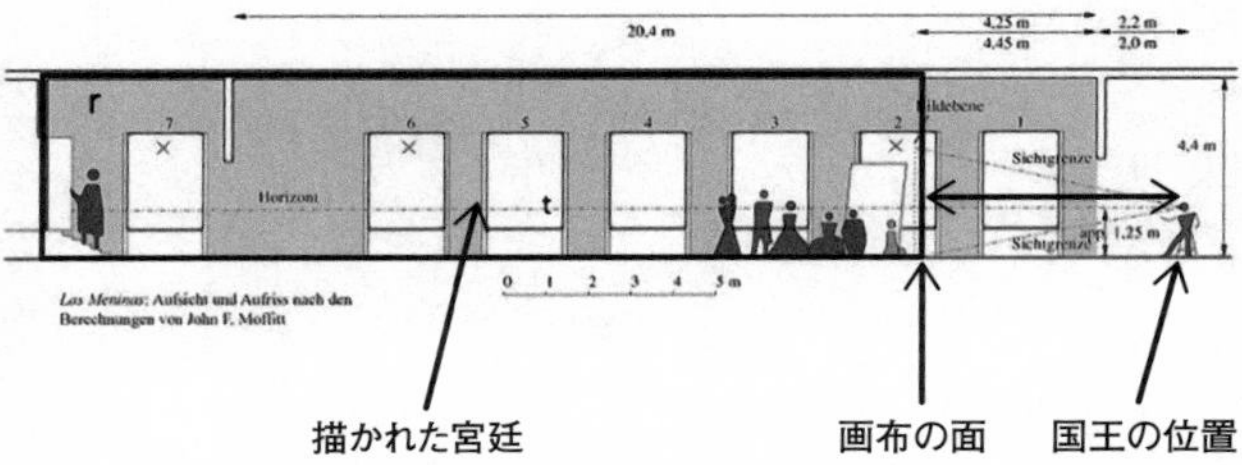

（*Las Menimas*: Aufsicht und Aufriss nach den Bereehnunmgen ven John F. Moffitt を参考に作成）

図3　執務室での国王と絵画（ラス・メニーナス）との対峙

ことになるらしい（図3）。

ベラスケスが仕掛けた謎ときゲーム

以上ふたつの手がかり、ひとつはこの絵が本来かざられるべき場所はフェリペ四世の執務室であったという点。もうひとつは、鑑賞者が絵から約6メートルばかり距離をおき、目のたかさを1・25メートルにさだめてこの絵をみるとき、それは画家ベラスケスが絵を描いた位置からのながめと一致し、あたかも目のまえにマルガリータ王女と王女をとりかこむ人びとが皇太子の間に集っているかのような、いわばバーチャルリアリティが得られるという点。この二点をふまえつつ、私はつぎのような場面を想像してしまいました。

……国王フェリペ四世が執務室のデスクのまえで腰掛けている。ふと国王が顔をあげる。すると真正面の壁におおきな絵がかざられている。それはあたかも壁に開口部があるかのようにみえる。皇太子の間がひろがっていて、マルガリータ王女がおつきの侍女たちや王女の遊び相手とたわむれている。国王のお気にいりの画家もいる。皇太子の間にたたずむ人びとは国王に気づき、いっせいにこちらに目線をおくる。それに気づいた国王は、画中の人びとのすべての視線をあびる中心人物が自分自身であることを感じとり、ほくそえむだろう……

国王がこの絵をはじめて目にしたとき、「自分の姿が描かれていないではないか」と、自分自身の不在を一瞬不快に感じたかもしれません。しかしやがて国王は気づくのです、自分（と妃）の姿が奥の鏡にうつりこんでいるのを。

国王が執務室のデスクまえの椅子に腰をおろすと、おそらくは目のたかさがおよそ1・25メートルとなる。この目のたかさから、6メートルばかりはなれた正面の壁にかざられた

『ラス・メニーナス』に目をやると、あたかも執務室のむこうには皇太子の間がひろがり、マルガリータ王女や王女をとりかこむ人びとがいっせいに視線を国王になげかけているかのように感じられる。

　絵画というバーチャル空間と国王のいる執務室という現実空間の境界が、双方向からの視線の応酬によってたちどころに溶解する。この瞬間にたちあうことのおどろきと至福をあじわえるのは、執務室のデスクまえの席という国王のみにゆるされた特権的な視座からだけなのです。もし絵のまえに国王以外のだれかがいたとしたら、奥の鏡にうつるべき人物像（＝国王夫妻）との間に齟齬《そご》が生じます。鏡のなかの国王夫妻の姿は、絵のまえにいるべき唯一の人物として確実に国王（とその妃）を名指している。

　国王は不在なのではありません。国王がこの絵をまなざすことなしには、絵は完成されないのです。いわば最後の「目」を描きいれることができるのは絵の外部にいる国王の視線だけであり、それゆえ画中には不在である国王こそがこの絵の真の主人公だということになる。そしてこれは、スペイン・ハプスブルグ王朝が国王フェリペ四世なしには成立しえないのとほとんど同義なんですね。

だがしかし……と私はここで、はたとたちどまります。だがしかし『ラス・メニーナス』の驚異とは、はたしてこのように芸術愛好家である国王をよろこばせるために、観念の超絶的な技巧を駆使したゲームとして描かれたことのみに由来するのだろうか、と。

リュパログラフォスの遺言

ベラスケスがセビーリャでまだかけだしの画家であったころ、師匠のフランシスコ・パチューコは、この若い画家のことを「リュパログラフォス」であると評しています。「リュパログラフォス」とは、〝汚れたものを描く画家〟という意味のギリシア語であるという。[*2]21歳のベラスケスが描いた『セビーリャの水売り』（1620年頃）という初期の傑作があります（図4、次ページ）。

描かれているのは日常的な水瓶や粗末な服を着た老人や少年です。〝汚れたもの〟というのは語弊がありますが、たしかにぜいをつくしたはなやかさや、ピカピカでキレイといった美意識とは異なる、いぶし銀のような深いかがやき、ありふれた日常的風景であるにもかかわらず、なにか神聖な遺物にでも接しているかのような感銘が画面からにじみでてくるよう

図4　ディエゴ・ベラスケス『セビーリャの水売り』1620年頃

な気がします。

『ラス・メニーナス』はベラスケスの晩年に描かれた宮廷絵画ですが、この絵もまた、若いころのベラスケスとかわりなく、「リュパログラフォス」の精神につらぬかれているのではないでしょうか。『ラス・メニーナス』には宮廷内が描かれています。しかし王侯貴族の姿はありません。宮廷の周縁的な場所にいる人びとが、暗い室内のとりわけ光が射す場所に登場し、まさに脚光をあびている。

群像の中心に位置するマルガリータ王女はたしかにスペイン・ハプスブルグ家の血をひく王女です。しかし当時はまだ5歳のおさな子でした。マルガリータは後年とつぎさきで22歳で他界。1665年にはフェリペ四世が亡くなり、あとを継いだカルロス二世もその5年後の１７００年に38歳で世を去っている。

こうしてスペイン・ハプスブルグ家の直系の血はとだえてしまう。ベラスケスはこの終わりゆく王家の最後のかがやきをマルガリータに感じとっていたのではないだろうか。そしてマルガリータというほろびゆく王家の残光をみとどけて、ベラスケスも１６６０年に世をさりました。


宮廷も国王もマルガリータもベラスケスも、そしてほかの登場人物たちも、すべてが消えさりました。しかし『ラス・メニーナス』は生き延びて、いまもなお私たちになにごとかを語りかけています。そのメッセージはいわばベラスケスの遺言です。『ラス・メニーナス』の特権的視座を占有していた国王がいなくなり、かわりにだれもが自由にこの大作を鑑賞できるようになりました。ようやく（国王ではなく）私たちが「リュパログラフォス」としてのベラスケスからの遺言をうけとることになりました。

『ラス・メニーナス』の絵の奥の鏡にうつしだされた、いかにもちいさくぼやけてさえいる王（とその妃）の姿、かつてそれはこの絵をなりたたせる国王の視座をさししめすためのキーイメージだった。

しかし時代はかわりました。王のかわりに『ラス・メニーナス』のまえにたつことになった私たちの目には、国王夫妻の鏡像はもはやきえゆく王国の予兆としてしか感じられません。鏡のなかでゆれうごくのは、いまではもう死者の国の亡霊です。王国の消滅とともに絵の意味が変容してゆく。ベラスケスがそこまで意図していたかどうかはわかりませんが、このように意味や価値の反転現象を何度もひきおこす絵画作品は、ほかにおめにかかったことがありません。

おことわりしておきますが、『ラス・メニーナス』を以上のように〝王国への反乱劇〟として読みといたからといって、それはけっしてベラスケスが憎しみや怒りをこめて絵を描いたという意味ではありません。ベラスケスにとって国王フェリペ四世は憎悪の対象などではなかったし、国王への背信をたくらんでいたわけでもなかった。むしろ『ラス・メニーナス』をはじめとするこの画家の画業のすべてが濃厚におびているのは、ほろびゆく歴史にさしむけられたわけへだてのない哀悼の感情です。

フェリペにも、マルガリータにも、マリバルボラやニコラシーリョにも、そして素朴な水瓶にも、おなじように静かで深い、そして哀しげなまなざしがむけられている。

『ラス・メニーナス』とは、去来する歴史へのレクイエム（鎮魂歌）です。終わりゆくものへのせつなる愛です。我をわすれて熱狂的に前進するだけでは、〝生き延びる〟ことの真意はなかなか読みとれないのかもしれませんね。

＊１　この指摘は、ウィキペデアからの情報を参考にした。
＊２　リュパログラフォスについては「タッシェン・ニュー・ベーシック・アート・シリーズ『ディエゴ・ベラスケス』」所収「厨房と宮廷の間で」を参照した。

第 四 話

華氏451の芸術論

—— 忘却とともに生き延びる

2022年5月9日（月）

大阪大学豊中キャンパスにおける講義より[*1]

いま、ここで語ること

本日は２０２２年5月9日です。[*2] 第二次世界大戦でソビエト連邦（現在のロシア）がドイツとの戦争に勝利したのを祝う戦勝記念日です。その大々的な軍事パレードが日本時間で午後4時くらいから……そうですねまさにいま、ロシアではなばなしく開催されていることでしょう。

私は国際政治の専門家ではありませんが、こうした国際情勢や社会状況にたいし、ひとりの芸術家としてどうむきあったらいいのだろうかと考えてしまいます。それで本日のお話のタイトルを「華氏４５１の芸術論」としてみたのですが、これってどういう意味なのか。少々わかりにくいですよね。

私は美術作品を制作する美術家なのですが、２０１４年に、横浜で3年に一度開催される大規模な国際美術展であるヨコハマトリエンナーレ、その第5回展で出品作家ではなく芸術監督というお役目でかかわったことがありました。[*3] 企画統括をするわけですが、どういう展覧会にしていこうかと考えているうちに、いきついたのが『華氏４５１の芸術：世界の中心には忘却の海がある』という展覧会名でした。
２０２２年の現在、世界でおこっている事態をまのあたりにしますと、あの８年まえのヨコハマトリエンナーレ２０１４のことが思いだされます。あれをいま一度ふりかえってみたい。なにかあそこにヒントがあるんじゃないかと思えてきて、だったら今日のお話のタイトルも『華氏４５１の芸術論』かな、そんなふうにとらえまして、こうしてみなさんにお話をしております。

私が芸術監督をつとめたヨコハマトリエンナーレ２０１４の公式カタログがここにあります。このなかに私は「『忘却』をめぐる三つのエピソード」というテキストを書きました。
本日はここからふたつのエピソードをえらんでお話しいたします。ひとつはアンナ・アフマートワという詩人について。もうひとつは『エルミタージュの聖母』（デブラ・ディーン著、２００９年刊）という小説についてです。[*4]
アンナ・アフマートワ（１８８９〜１９６６）が生まれたのはオデーサの近郊でした。オデーサは、ウラジミール・プーチンが戦況を有利にするために制圧しようとしている要所ともうわさされるウクライナの港町です。そしてアンナ・アフマートワはレニングラード（現サンクトペテルブルク）を拠点にして活動した詩人です。

『エルミタージュの聖母』のほうですが、この小説のタイトルにある「エルミタージュ」、こちらもサンクトペテルブルクにありますが、エルミタージュ美術館のことですね。ちなみにプーチン大統領もサンクトペテルブルクの生まれです。

「華氏４５１」とはなにか

ところでヨコハマトリエンナーレ２０１４の「華氏４５１の芸術」というタイトルですが、そもそもこの「華氏４５１」とはなんでしょうか。

レイ・ブラッドベリが１９５３年に『華氏４５１度』というＳＦ小説の古典的名作を書きました。これにヒントを得て『華氏４５１の芸術』という展覧会タイトルを思いつきました。

華氏４５１度は摂氏に換算するとおよそ２３３度。かなりの高温です。これ、紙が自然発火する温度とされています。そしてここでいう紙とは印刷物、すなわち本のことをさしています。華氏４５１度とは本が燃える、燃やされる事態を意味しています。

本が燃やされることを焚書《ふんしょ》といいます。独裁的な権力者や支配者が自分の意にそぐわない内容の本をみつけて火を放ち燃やす。本を社会から抹殺してしまう。ヨコハマトリエンナーレ２０１４の副題にある「忘却の海」という言葉をつかえば、忘却の火の海に本をなげこんでしまうこと、そういうみせしめの儀式だといってもいい。

　焚書は古来よりたえない人間の愚行ですが、今日ではさすがに本を燃やすといった下品なパフォーマンスはあまりやらないのかもしれません。でももっと巧妙なやりかたで「華氏４５１度」的な悲劇が世界各地でおこっているのはたしかです。

　レイ・ブラッドベリの『華氏４５１度』にはそうした本が燃やされる近未来社会、ディストピアが描かれています。およそ70年前の小説でありながら、そのメッセージはいまだに色あせてはいません。

　今回あらためて読みなおしてみて、びっくりさせられた箇所があったので紹介します。

「ああ、まったく。一時間ごとに、空にあんなものがいくつもいくつも！　毎日毎日、朝から晩まで、ああも爆撃機が飛ぶなんて、どういうことだ！　どうしてみんなその話をしたがらないんだ！　僕らは２０２２年以降、二度、核戦争を起こして、二度とも勝

利した！（以下略）」（『華氏４５１度』レイ・ブラッドベリ、伊藤典夫訳より）

二度目の核戦争が２０２２年におこったというのですから、現在の国際状況（の予兆）にぴたりと符合しています。『華氏４５１度』に書かれた近未来社会が、私たちが生きている〝いま、ここ〟の状況になってしまっている。

この小説を書いたとき、レイ・ブラッドベリが警鐘をならしていたのは１９５０年代のアメリカの大量消費社会にむけてでしたが、今日的な観点からも読める物語になっています。で、この小説はおそろしい結末になっておりまして、それはついに三度目の核戦争となり世界が滅亡するというものでした。２０２２年の現在これを読むと、ＳＦ小説『華氏４５１度』は不幸なことにどこまでもみごとな予言書になってしまっているといわざるをえないのです。

「本になる人びと」がおしえてくれること

ところで私が「華氏４５１」という語句を、ヨコハマトリエンナーレ２０１４のタイトルとして援用した理由なのですが、それはレイ・ブラッドベリの小説に焚書という今日的なメッセージ性があったということだけではありませんでした。

この小説のストーリーは後半、いささか調子がかわっていきまして、ほぼ終わりちかくになり、それまで姿をみせなかった一群の人びとが唐突に登場してきます。小説のなかに描かれる近未来社会があるわけですが、そこからとおくはなれた辺境の地にかくれ住む世捨て人の集団。彼らは社会からわすれられている人びと、いわば「忘却の民」です。私は小説の最終章にあらわれるこの「忘却の民」にひかれて、「華氏４５１」というフレーズを展覧会に採用したのだと、そのようにいってもけっしてまちがいではありません。

以上のような小説『華氏４５１度』と関連させながら、詩人、アンナ・アフマートワの話にうつりたいと思います。

アンナが生まれた１８８９年は、ロシアがまだ帝政ロシアと呼ばれていた時代で、皇帝アレクサンドル三世、そしてニコライ二世らが支配する帝国だった。ところが１９０５年にロシア革命がおこります。ロシアはソビエト連邦と名前がかわり、世界初の社会主義国家が誕生いたします。

この世紀の大革命を主導したウラジミール・レーニンが急逝し、そのあとをヨシフ・スターリンがひきつぐのですが、ここからスターリニズムと呼ばれるながく凄惨な独裁政治の時代がつづきます。

その間、ふたつの世界大戦があり、１９４１年にはヒトラーがひきいるナチス・ドイツが不可侵条約をやぶってソ連に侵攻、この大祖国戦争と呼ばれるたたかいにソ連が勝利して、ドイツ側が降伏文書にサインをしたのが１９４５年の今日、５月９日。

その後１９５３年にスターリンが亡くなると急速にスターリン批判がソ連国内でたかまってくる。こういう激変の時代を生きぬいた詩人がアンナ・アフマートワでした。

アンナ・アフマートワは三度結婚しているのですが、ひとりめの夫は銃殺されました。三番目の夫は獄死です。息子も逮捕されました。親しい友人たちもシベリアおくりになったり処刑されたりしている。こういう過酷な社会状況がアンナ・アフマートワをとりまいていた。

そうしたなかでアンナは、スターリン体制下での大勢の犠牲者を悼む鎮魂歌（レクイエム）を書こうと思いたつ。しかしスターリン体制下では反体制的とみなされる表現はゆるされません。詩人に詩を書くなというわけです。一時期、アンナ・アフマートワ死亡説までとびかいますが、ともかくアンナは詩を書かなかった。いや、書けなかったんですね。ですがアンナは詩をつくりました。

「詩を書かないけれど詩をつくった。」

これはどういうことを意味しているのでしょうか。

詩を紙に書くと、あたりまえですが世の中に詩は存在してしまいます。そこでアンナは、作った詩を友人とともに頭のなかに残しました。書かずに暗記した。書き残さないので詩は世の中には存在しません。でも頭のなか（あるいは体内）に詩は確実にある。

ここでもまた「忘却の海」という言葉をつかうなら、アンナ・アフマートワは自分のつくった詩を、世の中が気づかない、あるいは気づこうとしない不可視の領域（＝「忘却の海」）の奥深くにしずめ、この沈黙にじっとたえたのです。そしてやがてスターリンがいなくなり、スターリンが糾弾される時代となったとき、「忘却の海」から詩をひきあげて、紙の本として出版したのでした。

レイ・ブラッドベリの『華氏４５１度』に話をもどします。小説の後半に登場する、私のいう「忘却の民」がなにをしていたかというと、じつはアンナ・アフマートワとおなじことをやっていた。つまり集団のひとりひとりが一冊ずつ本になろうとしていたのですね。

「忘却の民」は「本になる人びと」だった。たとえばここにドストエフスキーの『罪と罰』があるとします。それをＡさんがすべて暗記する。暗記しおわったら『罪と罰』を燃やします（＝Ａさんは『罪と罰』になる）。あるいはＢさんは『旧約聖書』を全部暗記します。それがおわったらこれも燃やします（＝Ｂさんは『旧約聖書』になる）。燃やせばこの世から本は消える。もう本はない、しかし本はある。一冊の本はひとりの人間とともに不可視的に生き延びている。

『華氏４５１度』の最後では、三回目の核戦争があり近未来社会はほろびてしまいますが、辺境の地にくらしていた「忘却の民＝本になる人びと」はかろうじて生き残り、本をよみがえらせ、その叡智を活かし人類を再生させていく（と思われるところで小説はおわっています）。

ＳＦ小説『華氏４５１度』と詩人アンナ・アフマートワ、両者はピタリとかさなりますね。レイ・ブラッドベリがアンナ・アフマートワについてどれくらい意識していたか、私にはわかりません。でもそれを問いたいとも思いません。『華氏451度』に登場する「忘却の民＝本になる人びと」やアンナ・アフマートワの詩作の方法からまなべる教訓や知恵はじつにゆたかだということに気がつけば、それでじゅうぶんではないかと思うからです。

『エルミタージュの聖母』を読む

つぎは『エルミタージュの聖母』です。こちらも「忘却」がテーマの小説です。私はこの本が好きなのですが、ネットで検索すると古本が1円になっていました。まさに「わすれられてるなあ」と思いました。もったいない（笑）。

主人公はマリーナという女性です。すでに高齢で、夫ドミトリや息子や娘といっしょにアメリカでごく普通にくらしています。そんなマリーナとドミトリは自分たちの過去を語ったことがありません。子どもたちはそのことをいぶかりつつも、さほど気にしたことはありませんでした。

マリーナたちには語らない（語れない）事情がありました。ふたりは第二次世界大戦の終戦直後にアメリカに不法入国した亡命者だった。どこからかというとソビエトからでした。

若いふたりはレニングラード（サンクトペテルブルグ）にくらしていましたが、先程来お話ししているドイツとソ連の戦争、あの大祖国戦争のときに、夫ドミトリは兵士となってドイツ軍とたたかい、敵国の捕虜になってしまいます。戦争が終わりドミトリは解放されるのですが、通常なら祖国に帰れるというのはよろこばしいことなのに、スターリン政権下のソ連ではそうはならなかった。捕虜になって帰還した兵士たちはシベリアにおくられることになっていたからです[*5]。

それでマリーナとドミトリは偽造パスポートをつかってアメリカに亡命した。このような暗い過去の記憶を封印し、ふたりは戦後のアメリカで平穏をよそおってくらしてきたわけですね。

ところが高齢となったマリーナが認知症になる。自分の記憶が消えていく。その症状がしだいに深刻な状態になり、あるときマリーナは失踪してしまう。失踪後30時間ほど経過して、ある若者によってマリーナが偶然みつけだされます。マリーナは裸足でパジャマ姿でした。そのときの様子を若者がマリーナの娘、ヘレンに語る場面があります。この小説のほとんど最後のあたりです。すこしながい引用になりますが、こんなふうに書かれています。

（略）彼女は周囲を見まわしはじめ、最初はこちら、次はあちらと、ほうぼうを指し示しながら、何やらしきりにしゃべっていた。彼も、きょろきょろ見まわしてみたが、見るほどの物は何もない。ツーバイフォーの木材に根太《ねだ》——骨組みだけの家の向こうに、木々が見えているだけだ。若者は肩をすくめ、「わからないよ」と言ったが、老女はそれでも執拗に、二つの言葉を繰り返していた。やがて、立ち上がると、若者の腕につかまりながら、案内するように、ところどころで足を止めながら、室内を内壁に沿って歩いていった。若者はそのとき気が気でなかったのを覚えている。彼女は裸足だったし、床には釘や木片やらが、そこらじゅうに散らばっていたからだ。「気をつけて」と、彼が言うと、老女はうなずき、目を輝かせて、「見て」と言った。

「見て？」と若者は問うた。

「見て」老女は答え、指さした。「きれいでしょう？」

「何がきれいなんですか？」ヘレンはそこで、当惑して口をはさんだのだった。

「何もかもがですよ。そこがなんとも不思議なんです。すぐ目の前には海峡のすばらしい眺めも見えているのに、あの人は、あらゆるところを指さしていたんですよ。あの枯れたマドロナの木から、ガレージに屋根のすきまから射しこんでくる光の束まで」ここで、若者の表情がひどくきまじめなものになった。「まるで、この世のすべてが美しいと言ってるようでしたよ」（『エルミタージュの聖母』デブラ・ディーン、成川裕子訳より）

認知症のマリーナが失踪してみつけだされたとき、あちこちを指さしながら「見て、きれいでしょう」と話しながら、彼女はなにかを思い出していた。それは不思議で奇異にさえ感じられる光景ですが、その現場に立ち会うことになった若者は、これまでにあじわったことのない感動として、この光景をうけとめている。

なぜ感動的なのか若者にもよくわからない。若者が「ここでなにをしているのですか？」とマリーナにたずねたとしても、彼女は答えてはくれない。マリーナ本人にすら理解ができなくなった忘却世界、そのかなたの〝ある記憶のかがやき〟によって、マリーナは照らしだされている。これは、その場に立ち会わないとわからない感動的な体験だった。ですからこの小説は、若者がヘレンに「あんたもあそこにいたらと思いますよ」「あの人はおれに、世界を見せてくれていたんです」という、シンプルですがじつに美しいセリフで終わっています。

いったいマリーナは、若者にみつけだされたときなにをしようとしていたのか。いかなる忘却世界からの記憶の照りかえしがマリーナをかがやかせていたのか。その答えの一部始終がこの小説の全編で語られているという構成になっています。

戦時下のエルミタージュ美術館でおこったこと

以下、小説『エルミタージュの聖母』のあらすじを追いかけながらお話しいたします。

20代の若いマリーナは、レニングラードの名所、エルミタージュ美術館の館員としてはたらいておりました。ところがあの大祖国戦争がはじまった。

ここであらためてこの戦争の経緯を簡単に説明しておきますと、１９４１年６月22日、突然ヒトラーのナチス・ドイツ軍が不可侵条約を破棄しソビエトに侵攻します。そして９月、レニングラードは完全に包囲され、市民はおよそ９００日間にわたり孤立無縁となってしまう。その結果、レニングラードでは市民の３分の１が亡くなり、その約半数が餓死したといわれています。そういう戦時下のレニングラードにマリーナはいた。

この戦時下のエルミタージュ美術館で、当時の館長オルベリはドイツ軍がソ連に侵攻したことをいちはやく知り、美術館の所蔵品を疎開させることを決意します。

同館にはレンブラントやベラスケスをはじめとする数々の名品が収蔵されていますが、これらの絵画作品はいずれも立派なモールディングの額縁にかざられています。もし額縁ごと大量の絵画をはこぼうとすると輸送はきわめて困難となる。

そこでどうしたかというと、額縁はそのまま美術館に残し、中身の絵だけを疎開させることにした。これだとカンバスと木枠だけですからコンパクトになるわけです。カンバスだけにしてまるめてロールにした絵画作品もあったかもしれません。

ドイツ軍の侵攻が開始された6月22日から約一ヶ月が経過した7月20日までに、エルミタージュ美術館の収蔵品のうち100万点以上が貨物列車にのせられて、レニングラード市外にはこびだされます。それから一ヶ月後の8月30日にはレニングラードに通じる鉄道はすべてドイツ軍に占拠され、9月になると市内が完全に封鎖されてしまった。

エルミタージュ美術館の主要な所蔵品はこうしてなんとか無事疎開が完了するのですが、戦時下のエルミタージュは作品のない美術館となってしまった。美術館からは絵画作品が消えさり、残されたのは中身がからっぽの額縁だけだった。エルミタージュは、いわば「消滅美術館」と化してしまった。

そんなからっぽの美術館にマリーナは美術館員としてとどまっているのですが、美術館から絵は消えているし観客もこない。この「消滅美術館」でマリーナはなにをしていたか。ここからはヨコハマトリエンナーレ２０１４のカタログに書いた私のテキストを援用しつつ、小説『エルミタージュの聖母』のストーリーを追ってみることにいたします。

> 『エルミタージュの聖母』の主人公マリーナは、ドイツ軍によるレニングラード包囲下のエルミタージュ美術館で、20歳代の若い美術館員として仕事に従事していた。美術館ガイドの仕事なのだが、絵は疎開先に移送され、美術館の絵画展示室には額縁だけが残された状態となっている。（ヨコハマトリエンナーレ２０１４カタログ『華氏４５１の芸術：世界の中心には忘却の海がある』所収「『忘却』をめぐる三つのエピソード」森村泰昌より）

このような作品がない美術館（消滅美術館）でマリーナがこころみる日課がありました。

それは、絵がないままからっぽの状態で壁にかけられた大量の額縁のまえで、かつてそこにおさまっていた絵を想起して解説するという、架空のギャラリーガイドでした。

マリーナは美術館でガイドの仕事をしていたので、どの壁にどんな絵がかざられていたか、絵がなくても解説することができた。絵のない展示室をめぐりながら、自分の記憶を手がかりに、ひとりでガイドツアーをこころみる日々をすごしていたわけですね。

そんなある日のこと、30人ほどの少年兵がエルミタージュ美術館の見学に訪れます。マリーナが案内しましょうかと聞くと彼らはガイドを希望する。これまではからっぽの美術館でのひとりだけのギャラリーツアーでしたが、今回はちがいます。三十数人の少年兵を相手に、「消滅美術館」でのほんもののギャラリーツアーがはじまるのです。

以下、小説『エルミタージュの聖母』からの引用です。

少年が三十人はいるだろうか。それと、色あせた軍服姿のひどく痩せた年配の男たちが数人。マリーナは全員を、戦争前にそうしていたように、ヨルダン階段の踊り場に集めていた。ただしいまは、戦争前と違って、灯油ランプを二つ提げている。

「レニングラードの国立美術館へようこそ」マリーナは始める。「毎年、百万人を超える見学者がここを上っていきます。この階段は、十八世紀にイタリアの建築家フランチェスコ・バルトロメオ・ラストレリが設計したものです。漆喰に金箔をふんだんに使ったモールディングをごらんください。ありあまる……」マリーナは口ごもり、視線が床に落ちる。天井からはがれ落ちたペンキの薄片が、足もとに散らばっている。（以下すべて引用は『エルミタージュの聖母』より）

爆撃で館内の壁や天井ははがれおちたりしているけれど、階段や柱のかざりは残っています。少年たちはそれらをみながらマリーナの説明を聞くことができますね。

やがて一行は展示室にむかうのですが、ここからはいよいよ額縁だけがあって絵はないという「消滅美術館」です。マリーナはここで三十数人の少年たちにギャラリーガイドをしなければならない。はたして自分の解説を聞いてくれるかどうか。だれであっても自信を失いかけるむずかしい局面です。

（略）マリーナの視線が、顔から顔へ移っていく。少年たちは期待の目で、続きを待っ

ている。（同書より）

不安げにマリーナが少年たちの顔をのぞきみると、そこには少年たちの熱い視線がありました。そのまなざしに勇気づけられてマリーナは語りだします。

「いまもここにあるものを、お見せすることはできますが、各展示室を以前の姿で見てもらうには、みなさんにも少々想像力を働かせていただかなくてはなりません」（同書より）

このように前置きをして、やがて一行はつぎのような展示室にたどりつきます。

「ここには、エルミタージュ美術館の全コレクションのなかでももっとも貴重な絵画が展示されていました。『聖家族』という絵で、作者はラファエロ」

マリーナはパネルを凝視する。「正しく描写できるかどうかわかりませんが」と前置きして、「これは本当に驚くべき作品です。というのも、ラファエロはここに神話上の

> 三人の人物、聖母マリアと、ヨセフと、幼子キリストを描いていますが、彼はその三人を現実の人間、現実の家族として、想像しなおしているからです。（以下略）」（同書より）

マリーナは絵がなく額縁だけとなった壁をさししめし、いまはもう美術館には存在しないラファエロの『聖家族』についての解説をつづけます。するとこのとき〝奇跡〟がおきました。

> 少年たちは何もない矩形の空間を見つめている。（同書より）

額縁だけがあって絵はないのです。なにもない「矩形の空間」を少年たちはみつめている。するとある少年がこんなふうにいいました。

> 目は焦点が定まらず、夢を見ているようだ。
> 「頭に光輪がある」年長の一人がつぶやく。
> 「ええ、そうなの。あるの」マリーナはちょっとびっくりして応える。「前にもここへ

来たことがあるの?」(同書より)
エルミタージュに来館したことのある者であれば、「ああ、画中の三人の人物の頭のところに光の輪があったな」と思いだすわけですが、どうもそうではなさそうである。

少年は床に目を伏せる。「いえ、ありません、同志」と小声で言う。「ただ……」言葉に窮し、額の中の空間を示す。

マリーナは当惑したまま、先を続ける。「ちょっと見ただけでは気がつかないかもしれませんが、たしかに、三人の頭上には光輪があります。ピアノ線のように細い光輪が。まるでラファエロが、彼らをほかのふつうの家族と分けているのは、こんなに細い、ほとんど見えないくらいのものなのだ、と言っているようです。彼らはわたしたちなのかもしれないと」(同書より)

ここには「矩形の空間」しかありません。それにもかかわらず、少年は「光輪」をみた。なぜこのような〝奇跡〟がエルミタージュ美術館の展示室でおきたのでしょうか。

エルミタージュの奇跡とはなにか

マリーナはラファエロの絵画『聖家族』のことをよく見知っています。『聖家族』はマリーナの記憶のなかにある。その記憶を「呼びおこそう」として、マリーナは「矩形の空間」（絵のない中身がからっぽの額縁、いわば〝白いカンバス〟）に、自分のまなざしをさしむけている。それは、「いまここにない」絵画『聖家族』を、〝白いカンバス〟のうえに鮮明に浮かびあがらせたいとねがう祈りのような視線だった。

いっぽうの少年たちは、これまで一度もその絵を目にしたことがありません。少年たちが絵画『聖家族』にむきあうためには、自分たちの想像する力にたよるほかないわけですね。「目の焦点が定まらず、夢を見ているようだ」とありましたが、夢見る力というのは、「いまもむかしもここにはなかったもの」を、あたかも「いまここにあるもの」であるかのように、「矩形の空間＝白いカンバス」にうつしだそうとする意志のことだといってもいい。

マリーナは「なにものかの記憶を呼びおこそう」としており、少年たちは「想像世界のなかに、なにものかを思い描こう」としている。記憶と想像とでは、むかうさきが逆のようにも感じられますが、「いまここにないもの」、すなわち忘却世界とむきあっているという点においては、両者のまなざしがもとめるゆきさきになんらかわるところはありません。両者はともに「いまここにない『聖家族』」を「いまここにある『聖家族』」としてたちあらわれることを切望しています。この両者による切実な祈願が、ひとりの少年による「光輪がある」という〝奇跡〟の言葉によって成就したのです。

しかし思うに、〝奇跡〟などともうしましたが、じつはこれは奇跡でも超常現象でもなんでもありません。以下、再度ですがヨコハマトリエンナーレ２０１４のカタログから私のテキストを引用させていただきます。

あえて「奇跡」と言ってみたが、ほんとうのことを言えば、これは奇跡ではない。なぜなら、思い出がフィクションとして語られることと、架空の物語でありながら、それがまるで実際の出来事であったかのように感じさせることの同期、すなわち記憶を想像化することと想像を記憶化することが同時に起こる現象というものは、じつは我々が「芸術表現」と呼ぶ創作の現場で体験することとみごとに重なっているからである。表現とは、記憶の想像化（「かつてはあったが、いまはもうここにないもの」を「いまここに

> あるもの」となるように祈念すること）が、想像の記憶化（「いまもむかしも、ここにないもの」を「いまここにあるもの」にしようとする意志）に寄り添うことによって生じる、虚実の彼方の「芸術」という名のリアリティのことである。（ヨコハマトリエンナーレ2014カタログ所収「『忘却』をめぐる三つのエピソード」森村泰昌より）

たとえば『聖書』。あれは実話なのか、それとも架空の物語なのか。このように問われたとしたら、みなさんはどのように答えますか。私ならつぎのように答えたい。あれは実話でも虚構でもなく、「虚＝フィクショナルな想像」と「実＝実話の記憶」のかなたにみいだされた「芸術」世界の表出であると。

　画家ラファエロ作の『聖家族』に描かれた「三つの光輪」は、ラファエロがかつてみた記憶すなわち実話なのか、それとも画家の思い描いた想像世界でありフィクションなのかという問いについても同様のことがいえます。そもそもこの問いのたてかた自体がナンセンスです。なぜならラファエロは画家であり、「虚＝架空の話」か「実＝実際にあった話」かという詮索のかなたとしての「芸術」がめざされていたはずだからです。ラファエロにとって「三つの光輪」は、虚構でも実話でもなく、芸術のなかにこそみいだされるべきであり、ラファエロはそれを絵画にあらわしたのだと答えればじゅうぶんだと私には思われます。

ですから少年が「光輪がある」とつぶやいたとき、少年（正確にはマリーナと少年たち）は、確実に芸術表現の根幹にふれていたのです。なんというかマリーナと少年たちは、まだなにも描かれていない白いカンバス（正確には板でしょうが）に、画家ラファエロとともにむきあっている。マリーナは少年たちの想像する意志に勇気づけられ、また少年たちはマリーナの記憶を呼びおこそうとする熱いまなざしに後押しされて、マリーナと少年たちは戦時下のエルミタージュという非常事態下で（非常事態下であったからこそというべきかもしれませんが）、芸術が生まれいずる瞬間に立ち会うことができたのです。

ラファエロがマリーナと少年たちにのりうつったというべきか、そこにいた全員がまさにこのとき、絵のなかに光輪を描きいれたのだと思います。これほどの至福を感じさせる美術鑑賞、やはりこれは〝奇跡〟と呼ぶべきなのかもしれません。

最後にもう一度、ヨコハマトリエンナーレ２０１４のカタログテキストから引用させていただきます。

> 「いまここにない記憶＝忘却」を「いまここにある物語＝芸術」として形にする。それが『エルミタージュの聖母』という小説になる。「忘却」は忘却ゆえに人に知られることはない。だがその面影は、忘却の光芒のようなものとしてかすかに残留し、見えず、語りえない感動へと置きかわる。それが忘却の美学となって、芸術家の表現への欲望を刺激するのである。（同カタログより）

マリーナから失われていくたいせつで美しい記憶は、こうして小説『エルミタージュの聖母』という芸術表現によって救出されました。芸術は忘却世界を救出できるのかもしれない。そのことを、『エルミタージュの聖母』はまさに芸術表現としてテーマにしています。ちょっと入れ子細工のような小説なんですね。

本日は、『華氏４５１度』、アンナ・アフマートワ、そして『エルミタージュの聖母』とめぐりながら、それぞれにみいだされる「忘却をめぐるエピソード」を追いかけてまいりました。権力をもちすぎた為政者や支配者は、自分たちに都合がわるければ、どんなものでも忘却せよと命じます。芸術は逆に忘却世界にひたすらまなざしをむけつづけます。この価値観の落差にがくぜんとしつつ、今日のお話はここまでとさせていただきます。

（最後にひとつだけつけくわえておきますと、本日のお話、最初はパワーポイントの画像をおみせしながら話そうと思っていたのですがやめました。『エルミタージュの聖母』のマリーナのように、目にみえるビジュアルにたよることなく、みなさんと私とのあいだになにかしらイメージ共有ができるといいなと考えたからなのですが、いかがだったでしょうか。以上でほんとうに終わります（笑）。どうもありがとうございました）

＊１　本編は、『華氏４５１の芸術・再考』展（モリムラ@ミュージアム２０２２年5月３日〜8月21日開催）のカタログに掲載された。後に加筆訂正され、本書に収録した。

＊２　以下すべて、この講義で語った時点の日付をそのまま残している。

＊３　ヨコハマトリエンナーレ２０１４「世界の中心には忘却の海がある」のことを指す。２０１４年8月1日〜11月３日まで、横浜美術館、新港ピアなどで開催された。

＊４　『エルミタージュの聖母』については、高橋悟さん（元京都市立芸術大学教授）に紹介していただいた。

＊５　『エルミタージュの聖母』には次のようなくだりがある。

「ドイツ軍の捕虜になったということは、それだけで反逆罪なのだ。スターリンがそう言っていた。それが何を意味するかを、ドミトリは知っている――彼の父親は刑務所でしんだのだ――もう二度と家には帰れないだろう。」

第 五 話

コロナと芸術

―― パンデミックを生き延びる

2020年7月27日(月)～8月31日(月)

大阪大学講義　限定期間のオンラインにて配信

はじめに

新型コロナウイルスの感染拡大、なかなかおさまりそうにありません。[*1]〝これまでに経験したことのない事態〟といわれていますが、人類のながい歴史をふりかえってみると、ペストもあったしコレラもありました。深刻なパンデミック（感染爆発）が、いろいろあったのだということがすぐにわかります。それも何度となくくりかえしやってくる。〝これまでに経験したことのない事態〟が、ほんとうは私たちが生きていくうえでの常態なのかもしれません。

さて今回は、いわゆるパンデミックとはちがうのですが、それと同様にやはり〝これまでに経験したことのない事態〟だったといえる、そんなかつての出来事を、芸術家の立場からいくつかふりかえってみたいと思います。

さほどむかしにさかのぼるわけではありません。１９３０年代のアメリカ、そして１９４０年代の日本。そして最後に、いまコロナの渦中で私が思い描く、芸術にまつわる〝妄想〟でしめくくりたいと思います。

〝これまでに経験したことのない事態〟——１９３０年代のアメリカ

ニューディール政策をふりかえる

１９２９年９月４日、アメリカで株価が大暴落し、いわゆる世界恐慌がおこりました。この経済危機のとき、１９３３年に第32代アメリカ合衆国大統領に就任したフランクリン・ルーズベルトがてがけた有名な政策がありました。ニューディール政策です。

経済問題には門外漢なのでくわしい説明はできませんが、おおざっぱにいうならニューディール政策とは、自由主義経済のアメリカにあって、国が積極的に介入し経済回復をはかる政策です。資本主義に社会主義的な政策をくみあわせることによって、〝ニューディール(New Deal＝新規まきなおし)〟をはかる、そういうあたらしい社会体制をめざすものだった。

具体的になにをしたのかというと、大々的な公共事業です。国家主導で積極的に公共事業を計画し、雇用を創出して、失業者をへらす。こうして経済を回復させていく。

先日の新聞（２０２０年7月15日付け朝日新聞）にこんな記事がありました。「韓国政府が（コロナによる危機的状況下での）新経済政策として韓国式ニューディール政策を発表した」という内容で、デジタル事業を中心に国が14兆円をとうじて１９０万人の雇用を創出するという。むろんニューディール政策の評価はさまざまです。その功罪は冷静に問われるべきですが、そのあたりは経済の専門家におまかせすることにして、私（芸術にたずさわる私）のほうは、このニューディール政策下における芸術家たちの処遇にフォーカスをあててみることにいたします。

（ちなみに以下の内容は、大学時代に写真の授業を担当されていたアーネスト・サトウ教授の授業によってはじめてまなびました。その授業を私なりに再解釈した内容であることをおことわりしておきたいと思います）

フェデラル・ワンの成果

ニューディール政策下のプロジェクトに「芸術家支援計画」というものがありました。

「公共事業促進局（WPA：work progress administration）」によるプロジェクトで、「フェデラル・ワン（Federal One）」といいます。正式には「Federal Project Number One」、つまり「国が計画した一番目のプラン」。

芸術家なんて、まともにはたらきもせず、好きかってなことばかりやっている連中だから、自己責任ということでほうっておけばいいんじゃないかという意見もあるのかもしれません。しかしニューディール政策においては、芸術家もまた労働者であり、不況下で仕事を失ったおおくのはたらく人びととおなじ境遇にあるととらえ、芸術家の能力をいかした雇用を創出しようとした。

フェデラル・ワンには、「連邦劇場計画（FTP：Federal Theatre Project）」、「連邦音楽計画（FMP：Federal Music Project）」、「連邦美術計画（FAP：Federal Art Project）」などがあり、さまざまなジャンルの芸術家が支援の対象になりました。

「連邦劇場計画（ＦＴＰ）」、「連邦音楽計画（ＦＭＰ）」では、劇場関係者や音楽関係者を雇用して各地で演奏会や演劇を上演する。無料あるいは格安チケットを販売し、演劇や音楽にしたしむ機会があまりなかった人びとにもみてもらう。

「連邦美術計画（ＦＡＰ）」では、画家や彫刻家が作品を制作し、これらを公共施設に展示する。約20万点が制作されたという。画家や工芸作家による子どもむけの絵画教室やワークショップも企画され、美術教育の促進に役立てられた。

ＦＡＰでは壁画プロジェクトもありました。壁画は公共性のたかい、いわゆるパブリックアートです。大勢の不特定多数の人びとが美術にしたしめる環境をつくるために、壁画運動は効果的なのですが、これはまさに社会主義国家のプロパガンダ芸術のアメリカ版だった。実際、当時社会主義国だったメキシコの壁画運動の中心人物のひとり、ディエゴ・リベラが１９３０年代に渡米したときはほとんどスターあつかいで、ニューヨーク近代美術館で個展を開催するほどの人気でした。

「農業安定局（FSA：Farm Security Administration）」のプロジェクトもみのがせません。不況は都市だけでなく農業地帯にもおおきな打撃をあたえました。干ばつや砂嵐の被害もかさなり、農業従事者の苦境は深刻だった。スタインベックの社会派小説『怒りの葡萄』（１９３９年）には、この時期の農村地帯が描かれています。

こうした状況下で、ＦＳＡはＦＳＡＰ（ＦＳＡプロジェクト）をたちあげました。いまでしたらＴＶニュースやＳＮＳを通じて、世界の情報がすばやく私たちにとどけられます。１９３０年代はそういうわけにはいかなかった。どこでどんな事件がおこっているのか、速報を伝えるのはむずかしかった。

そんななか現場の状況を即座に伝えられるメディアがありました。〝写真〟です。写真は新聞や雑誌に掲載されるといっきにその情報が拡散されていく。１９３６年創刊の写真グラビア雑誌『ライフ（ＬＩＦＥ）』は、こうした写真の報道力の代名詞的存在となりました。20世紀とは写真の時代だったわけですね。

ＦＳＡＰは、写真メディアがもつ社会への訴求力を活用するプロジェクトでした。多数の写真家を雇用し、農村部に派遣して、現状をドキュメントしてもらい、議会や世論に呼びかけるツールとして役立てた。ＦＳＡＰで雇用された写真家によるドキュメント写真は、約10万点にもおよんだといわれます。

不況下でそだっていった芸術家たち

不況化に失業状態にある芸術家を国家が雇用し、芸術表現を通じて社会貢献に従事してもらう。私自身はこうした国家主導の芸術活動には、あまり乗り気になれないでおります。芸術表現にはどこか社会にあらがう側面がある。芸術家の社会貢献という文言があまりにもきれいごとに感じられ、考えこんでしまうんですね。

というただし書きを付したうえで、まずはニューディール政策下における芸術家支援がはたした役割について確認しておきたいと思います。というのも芸術家支援プログラムであったフェデラル・ワンによって、仕事をあたえられ表現活動をつづけることができた若い芸術家たちは、やがてアメリカの次世代のアートシーンをつくりあげていく重要な人材として成長していったからなんですね。以下思いつくままに列挙してみます。

「連邦劇場計画」（ＦＴＰ）にかかわった演劇人として、たとえばアーサー・ミラー。『セールスマンの死』（１９４９）などで知られるアメリカの代表的な劇作家です。

『セールスマンの死』を演出したのがエリア・カザン。演出家であり、俳優であり、映画監督でもありました。伝説的な映画スター、ジェームス・ディーンがはじめて主演した映画『エデンの東』（１９５５）の監督としても知られる巨匠です。

オーソン・ウェルズもいます。このひともまた、演出家であり俳優であり映画監督であり、代表作『市民ケーン』（１９４１）では、監督・製作・脚本・主演のすべてを担当。個人的な想い出をいわせていただくなら、私にとってのオーソン・ウェルズといえば、戦後まもない混乱期のウィーンを舞台にした映画『第三の男』（１９５２）のハリー役でしょうか。

「農業安定局」のＦＳＡプロジェクトにかかわった写真家たちには、ウォーカー・エヴァンスやドロシア・ラングらがいて、こうした写真家たちがアメリカ現代写真の牽引役となっていく。

「連邦美術計画（ＦＡＰ）」では、約２０００件の壁画が制作されましたが、これにかかわった画家たちは、壁画制作をとおして従来の画風とはおおきく異なる絵画技法を発見していきました。

壁画はお上品な額縁絵画ではありません。サイズが異常におおきい。そしてそのおおきさゆえに、大胆で荒々しい筆致で描かれることもめずらしくなかった。こうした巨大なサイズと荒々しい作風が、やがて世界の絵画シーンを席巻するアメリカの抽象表現主義絵画へと展開していきます。ジャクソン・ポロック、マーク・ロスコ、デ・クーニングらもこの壁画制作にたずさわった若き画家たちでした（図1、次ページ）。

図1　ジャクソン・ポロック
『秋のリズム（ナンバー30）』1950年
メトロポリタン美術館

ベン・シャーンについてもお話ししておきたいと思います。ベン・シャーンもまた、ニューディール政策下で壁画を描き、写真も撮っていた。そうした体験をへて、のちには社会問題をあつかう作品を数おおくてがける画家となりました。

『ここが家だ』という絵本があります。副題に「ベン・シャーンの第五福竜丸」とあります。

1954年、アメリカ軍による太平洋のビキニ環礁での水爆実験がありました。その近くで漁をしていたのが日本漁船の第五福竜丸で、水爆による〝死の灰（放射能）〟に汚染されるという悲劇がおこりました。3年後、この事件をテーマにベン・シャーンが絵を描

図２　絵本『ここが家だ』（2006 年）より
絵：ベン・シャーン　詩：アーサー・ビナード

き、それからおよそ50年後に、アーサー・ビナードが詩をつけて絵本になりました（図2）。

ベン・シャーンはこのように社会問題にするどく反応する画家なのですが、いっぽうでその独特の画風は、日本の画家やイラストレーターらにも多大な影響をあたえています。

私自身も高校生のころ、ベン・シャーンタッチの油絵を描いていた時期がありました。深刻なテーマをあつかっていながら、どこかどろくささがなくアカぬけていた。そのシャレた感覚があこがれの対象になりました。

戦後の日本にあたえたアメリカ文化の影響として、私も知らず知らずのうちにベン・シャーンをうけいれていたのでしょう。

芸術家を支援するには鉄則がある

芸術家もまた人間です。そして人間であるかぎり、生きがいのある仕事に従事し、困難な時代をいきいきと生き延びたいとねがうのは当然のことだと思います。その意味において、芸術家支援プロジェクトであるフェデラル・ワンはじゅうぶん成功したといえるし、それがのちに才能をおおきく開花させる各界の芸術家たちを生みだすきっかけにもなったわけですから、現在の苦境をむしろ未来の可能性へとつなげてゆくプロジェクトとしても、じゅうぶん成果があったといっていいのでしょう。

しかしなにごとにおいてもそうですが、〝いいことづくめ〟などという虫のよい話は世の中にありません。

思うに、芸術家への支援というものには鉄則がある。なにかといいますと、「お金はだすが、口はださない」、これなんです。国家であれ、企業であれ、資産家であれ、「お金をだすのだから、ひとこといわせてもらいます」などと支援者がきりだしては、もうダメです。

出資したのに、理解不可能だったり、出資者側を批判するかのようなメッセージの作品だったりしたら、やっぱりひとこといいたくなってくる。その心情は制作者側の人間である私にもよくわかります。しかしクレームをつけてしまったら、それはもう支援とはなりません。なぜなら支援とはみかえりを期待しない〝おくりもの〟だからです。みかえりを期待するのは、人道支援の顔をした命令であり、単なる支配です。Give & Take ではなく、Give & Give でなければ、支援というものは成立しないということです。

むろん支援をうける側が好きかってになにをやってもいいというのは、あまりにも傲慢です。重要なのは、支援する側とされる側とのあいだに、緊張関係をともなった相互からのリスペクトがあるかどうかです。なれあいや忖度は論外です。ぴーんとはりつめた気持ちのいいテンションが感じられないところに芸術は生まれない。私はそう信じたい。

ところがニューディール政策において、残念ながら国は、絵画でも演劇でも写真でも、しばしば口をさしはさんだようです。

さきほど農村地帯の苦境を写真でドキュメントするFSAプロジェクトについてふれました。これに参加した写真家として名前をあげたウォーカー・エヴァンス。この写真家の写真集『Walker Evans』をごらんいただきますと、たとえばここにはアラバマの農村地帯の家族を撮った写真がおさめられています（図3、次ページ）。

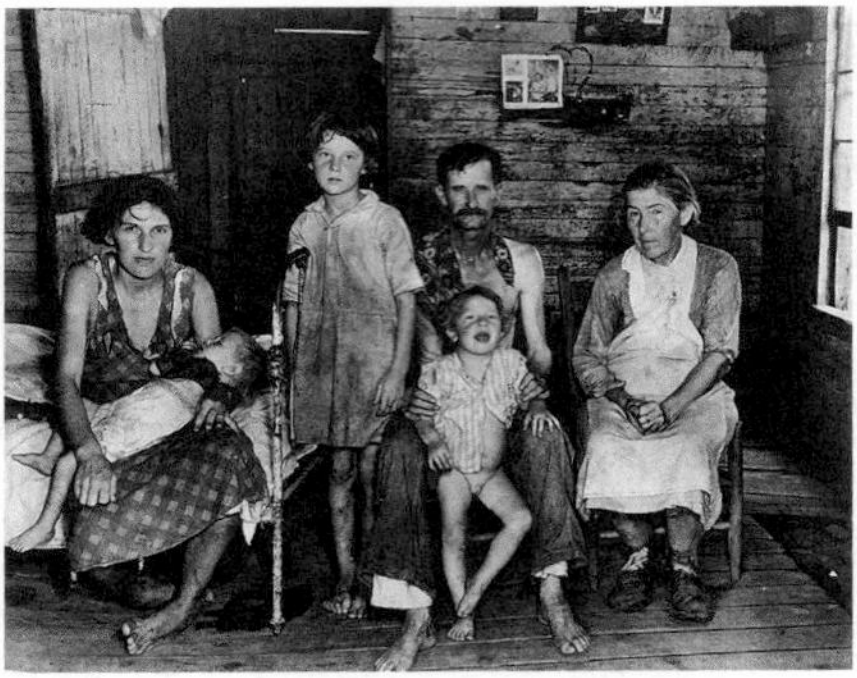

図3　ウォーカー・エヴァンス

Bud Fields and Family in Bedroom, Hale Country, Alabama

ウォーカー・エヴァンスは、主観的な感情をさしはさむことなく、あるがままの風景や人間を撮影する写真家です。粉飾のない赤裸な現実がうつしだされているのですが、それだけではなく、あるいはそれだからこそというべきかもしれませんが、エヴァンスの写真にはなにかしら現実世界をこえた〝普遍性〟あるいは〝永遠性〟とでもいうべき気配がうつりこんでいます。

もう一点エヴァンスの写真を紹介します。こちらもアラバマで撮影されました。なにがうつっているのか、最初私にはわかりませんでした。これ、お墓です。亡くなった子どもを埋めて盛り土をしただけの簡素なお墓です(図4)。

図４　ウォーカー・エヴァンス
Child's Grave, with Plate on Plot, Hale County, Alabama
© Walker Evans Archive, The Metropolitan Museum of Art

このようにウォーカー・エヴァンスには、いたずらに悲劇をあおるような写真は皆無です。ここにはエヴァンスならではの一貫した写真哲学があるわけですね。

ところがそのような、こういってよければ〝芸術的な写真〟と、当局が期待する〝報道としての写真〟とは折りあわなかった。こうした写真観の相違によって、エヴァンスはＦＳＡを離脱してしまう結果となりました。

１９３０年代のアメリカの非常事態下において、若い芸術家たちは国家主導の芸術家支援のもとで、自分たちの表現世界をはぐくんでいくいっぽう、期待される成果物と自分たちがもとめる芸術のビジョンとの齟齬に悩みながら、危機的な時代を生き延びようとしていたのだと思います。[*2]

〝これまでに経験したことのない事態〟——１９４０年代の日本

１９４１年の日本に生きる画家

１９４０年代の日本に話題をうつします。

松本竣介についてです。１９１２年（明治45年／大正元年）に生まれ、１９４８年（昭和23年）に他界。明治から大正へという時代の転換期から、戦後日本があらたにはじまるという、ふたつの激変の時代のはざまを生き、36歳で夭折した画家でした。

私は松本竣介の絵が好きなんですね。この画家の作風は多彩です。実験精神の旺盛な画家だった。しかしどの作風の絵にも共通の竣介らしさが、なんというか香りたつのです。都会

図５　松本竣介『街（自転車）』1940 年　岩手県立美術館

的でモダンなのだけれど、どこか素朴でみずみずしい抒情がある。そしていつも物哀しい（図5）。

画家であった松本竣介はすぐれた文筆家でもありました。竣介が生前に残した文章は文集『人間風景』にまとめられています。[*3]なかでも、もっともよく知られた一文がありまして、それが「生きてゐる画家」です。「生きてゐる画家」は、『みづゑ』１月号（４３４号）に掲載された「国防国家と美術―画家は何をなすべきか」と題された座談会の記事にたいする反論として同誌『みづゑ』の４月号（４３７号）に掲載されました。１月掲載の座談会は、軍人と美術評論家たちによるもので、この記事内容に危機感をおぼえた松本竣介がこれを書きました。

「生きてゐる画家」が『みづゑ』に発表されたのは、１９４１年（昭和16年）。同年の12月８日に真珠湾攻撃があり、これにより太平洋戦争がはじまるという深刻な社会情勢下での執筆でした。

「生きてゐる画家」の末尾の「注」にはこう書かれています。「この一文は私個人の責任で、私の所属する団体には何の係りもないことを後記する」と。内容が国の意向にそぐわずとりしまりの対象になるかもしれないが、そのばあいでも自分以外の人びとに責任が飛び火しないようにという、慎重な配慮と覚悟が感じられます。

「生きてゐる画家」が伝えたかったこと

「生きてゐる画家」をはじめて読んだとき、私にはなにが書いてあるのかよくわかりませんでした。わからないのは私の読解力のせいでもあるのですが、それだけではなさそうでした。おそらくは言論統制下にあってズバリと斬りこむような言葉づかいはむずかしかったのだと思います。

たとえば戦後すぐに書かれた竣介の文章では、こんな調子です。

> 戦争画は非芸術的だと言ふことは、勿論あり得ないのだから、体験もあり、資料も豊かであらう貴方達は、続けて戦争画を描かれたらいいではないか、アメリカ人も日本人も共に感激させる位芸術的に成功した戦争絵画をつくることだ。勿論権力の後だてや、ジャーナリズムの賞讃を単純に得られることはあるまいし、時流も歓迎してはくれまい、しかし、さうした中で描き続けられた作品を完成したならば、心あるものは貴方達に脱帽するであらうが。（『人間風景』所収「芸術家の良心」昭和20年10月朝日新聞へ投稿したが採用されなかった）

戦争画をめぐる竣介の見解を書いていますが、ズバリと斬りこんでいます。しかし１９４１年当時だとそれができなかった。外堀をうめていくような、もってまわった言辞をつみかさねて、あからさまには言葉にできない核心部分を、沈黙のうちにうかびあがらせようとする。だからはじめて読んだとき、私はちょっととまどってしまったのでした。

「生きてゐる画家」で松本竣介が問題にしているのは、『みづゑ』1月号の座談会。ここでは当時における芸術家のいわゆる社会貢献が論議されています。軍人たちは、国家の非常時にあって芸術家もまた社会に奉仕すべきではないかと主張しています。これにたいし座談会に参加していた美術評論家たちはなんら反論しなかった。竣介はこの評論家たちの主張性のあまりのなさに落胆し、「生きてゐる画家」を書くことを決意する。

松本竣介の論点はおよそつぎのふたつです。ひとつは、明治以降の日本の洋画家は「フランスの出店のようなものだ」という軍人たちへの反論です。昨今の日本の画家たちは、ヨーロッパで流行の洋画を描くことに熱心だが、それでは「フランスの出店」ではないか。日本人なら日本の精神を反映した日本の絵を描けという。この軍人たちの主張にいかに答えをかえせるか。

もうひとつは、芸術家もまた目にみえるかたちでお国のために貢献すべきであるという要求にたいする反論、あるいは修正案です。非常事態における芸術家の社会貢献とはなにか。「生きてゐる画家」で松本竣介はこの難問に自分なりの答えをみつけだそうと苦心しています。

芸術とは、百年単位で作り上げる「普遍妥当性」である

以上ふたつの問いへの松本竣介の見解をひとことでいうなら、竣介のつぎの言葉に集約されるのではないでしょうか。

百年単位で作り上げる「普遍妥当性」（『人間風景』所収「生きてゐる画家」松本竣介より）

「普遍妥当性」というのは、「生きてゐる画家」にしばしば登場するキーワードです。松本竣介は「普遍妥当性」についてこう説明しています。

芸術に於ける普遍妥当性の意味を、私達は今日ヒユーマニテイとして理解してゐる。

（同書より）

普遍妥当性とはヒューマニティであるという。世界中の人間はみんなひとしくたいせつな価値をもっている。だから日本人と西洋人とのあいだの優劣を論じたりするのは意味がない。

この差別意識の撤廃を、竣介は〝ヒューマニティ〟と名づけています。西洋的とか日本的とか、そういう〝どこそこの〟というのではなく、万人にひとしくうけとめられる感動、すなわち普遍妥当性にもとづく芸術表現がもとめられるべきである。ですから「フランスの出店」というのは、竣介には心外な批判なんです。おまえは西洋かぶれだという批判にはおおきな誤解があると竣介は主張したいのです。

以上のようなヒューマニティとしての普遍妥当性を芸術表現の根幹にすえて、松本竣介はつぎのように論をすすめます。

> 東洋と西洋との単なる結合ではなく混淆された新世界像。これを完成した国民が一切の意味に於て新世界の中心を造る民族である。（同書より）

洋の東西を対立概念としてとらえない。両者の差異をこえた「混淆された新世界像」をめざしたい。日本的なものを否定するのではないが、これに固執していては普遍妥当性はえられないのだとしたうえで、竣介はこう結論づけています。

高度国防国家に於ける私達の働きは、世界的普遍性のある新日本の理念完成であると信じてゐるのであるが、この座談会によれば、私達に国家百年のために筆を執れといふのか、それとも単一に目睫のことに筆を執れといふのかゞ明らかでなく、考へやうによつてはどつちでも一つではないかといふやうにも受取られ、これは可成重大である。（同書より）

非常事態における芸術家の社会貢献とはなにかというとき、ふたつの選択肢があると松本竣介はいう。ひとつは目前にせまる事態に即座に対応する貢献。もうひとつは「国家１００年の為に筆を取る」、つまりより長期の展望にたつ選択です。『みずゑ』１月号の座談会では、「目前のことに筆を取れ」ということになっているが、それはいかがなものかと反論し、竣介はこうむすびます。

だが若しこゝに十年二十年間の空白が生じたなら、それは遂に我国のものではなくなるであらう。実に芸術の一つの花を咲かせるためには幾百年といふ訓練と、習熟の細々と

した水路を絶対に断つことを許されないからである。（同書より）

芸術にとってもっとも重要な目標が「普遍妥当性」であるとすれば、それは「幾百年という訓練と、習熟の細々とした水路」を断つことなく持続させることによってでしか達成されない。ところが戦争はこの文化の「水路」をいとも簡単に断ちきってしまう。

竣介はこうして長々とある意味複雑に論じているわけですが、結局のところ、「戦争はいやだな」といいたいのです。どの国であれ地域であれ、戦争は芸術も文化も停滞させ、あるばあいには破壊してしまいます。「幾百年という訓練と、習熟の細々とした水路」が断たれてしまうことが、お国のためになるとはとうてい思えないというのが、松本竣介にとっての〝社会貢献〟のビジョンだったのだと思います。

『立てる像』が沈黙のうちに語りかけるもの

「生きてゐる画家」を書いた翌年の１９４２年、松本竣介は一枚の自画像を描きました。『立てる像』という１００号の大作です。

ひろい道のまんなかに竣介とおぼしき人物がたっている。背景にくらべ自画像として描かれた人物の比率はかなりおおきい。これでは巨人だといってもいいくらいです。しかし威圧的なところがまるでない。むしろ寄る辺なき孤独すらを感じさせます（図6、次ページ）。

ただたっている、それだけの絵。静寂につつまれた沈黙の絵画です。でもその静けさゆえにかえって想像力がかきたてられます。

なにかたいせつなものをまもるためにたちはだかっているのだろうか。吹きつける風にたちむかおうとしているのだろうか。とおくをみつめているかのようなそのまなざしのかなたに、このひとはなにをみようとしているのだろうか……。

〝これまでに経験したことのない事態〟に直面すれば、だれもがうろたえてしまいます。全員が迷っているのですから、どのように生きていけばいいのかを的確におしえてくれる〝なにか〟なんてありません。そんなときは口をつぐむほかないのかもしれない。しかしその沈黙はときをへて、きっとだれかにとどくだろう。松本竣介の『立てる像』がまさにそのあかしです。沈黙以上の饒舌はないのかもしれません。

図6　松本竣介『立てる像』1942 年

コロナの時代に私が生き延びる
――２０２０年の日本

こんなんでひと、くるやろか

不況と戦争という、過去にあったふたつの〝これまでに経験したことのない事態〟について、芸術家目線でふりかえってきましたが、最後に２０２０年の私自身のこともお話ししてみます。

依頼があってみじかい文章を書く機会があったのですが、その冒頭を引用してみます。

展覧会や劇場に観客がいないということに、あまり悲観的にならないようにしよう。誰も来ない展覧会。誰もいない劇場でのパフォーマンス。それも悪くないような気がする。（「Dear 2020」[＊4] 森村泰昌より）

劇場やライブハウスとおなじように、美術館も閉鎖されました。密集、密閉、密接のいわゆる三密の施設はことごとく営業停止。私がかかわっていた国内外の展覧会もほとんどすべて中止になりました。

美術館での大規模な個展ともなれば作家にとっては一生に一度の大仕事ですし、準備期間も数年にわたります。それが突然中止になるのですから、「残念でしたね」のひとことではすまされません。顔にださなくても精神的なダメージやストレスは深刻です。

それにもかかわらず、さきにあげた文章では、「あまり悲観的にならないようにしよう」といってみることにしたのでした。

すこし以前（2019年）、私は「野生〝能〟」というふうがわりな能舞台にかかわっていたことがありました。私が脚本を書き出演もした、「能」を意識した演劇作品です。[*5] 準備期間に余裕がなくて、広報活動までじゅうぶんな手がまわらないまま上演の日をむかえたものですから、だんだん不安になってきて、ついこんなグチをいってしまったのでした。

「こんなんで、ひと（観客）、くるやろか」と。

そうしましたら、そのときの舞台監督がさらりとこんなふうに答えてくれたのです。

「モリムラさん、〝ひと〟はこなくてもいいんですよ」

舞台監督によれば、元来、演劇とは神事であったという。芝居は神聖な儀式であって、みせるお相手は神さまだった。だから本来なら人間はみせてもらえないのだけれど、どうしてもみたいというばあいには、はりめぐらされた幕と幕のあいだから特別にそっとのぞきみることがゆるされた。人間は神への供物としての芝居のおこぼれを頂戴するのがせいぜいだった。つまり元来芝居をみせる相手は人間ではなかったのだから、お客がこなくてもなんの問題もないのだと。

なんだかいいくるめられたような気もしないではないし、まあ雑談でしたから、ことの真偽もさだかではありませんでした。

しかし私はみょうに納得してしまった、というか反省してしまいました。芸術表現のむかうさきは人間である、人間のために作品をつくるものと、あたりまえのように思いこんできたのでしたが、かならずしもそれは〝あたりまえ〟ではないのかもしれない。そのように自分の芸術観の軌道修正について考えさせられたのでした。

ある名セリフが思いだされます。昭和歌謡を代表する歌手、三波春夫さんの、年配の方ならだれもがよく知る名セリフ。

「お客さまは神さまです」、あれを私はこれまで、御来場のお客さまは神さまのように大事におもてなしすべしという、エンターテイナーのサービス精神、心得のことであると解釈しておりました。しかしそうではないのかもしれません。

舞台をごらんになるのは〝人間さま〟ではなく、本物の〝神さま〟なんです。だとすれば人間のお客さんなどいてもいなくてもたいした問題ではない。ひとがくるのかこないのかに関係なく、舞台は粛々とつづけられなければならない。

もちろん人間のお客さんがいてもかまいません。しかし舞台は、人間のお客さんにではなく、お客さんひとりひとりの心の奥のどこかに住まう〝神さま〟にこそとどけられるべきである。満員御礼であっても、たったひとりの観客であっても、無観客であっても、かならず神さまはそこにいる。そのみえざる存在にふれる感覚をさぐりあてる。これはちょっと新鮮で、なんというか魅惑的な手ごたえに思えてきたのでした。

無観客の展覧会とはなにか

神さまなどをもちだしてしまっては、あざとく思われたかもしれません。それに、現実問題として無観客では演劇人も劇場もたちゆかなくなるのは目に見えています。さきにあげた１９３０年代の大恐慌下でこころみられた芸術家雇用政策は、そのたちゆかなくなる文化の防衛として、それなりに成功した一例だったのでしょう。そして松本竣介の危惧したとおり、１９４０年代の日本は、そうした文化防衛の失敗例だった。

この歴史からの教訓を無駄にしたいとは思いませんが、それでもなお私自身は、今回のパンデミックを通じて、あらためて自分自身の芸術家人生を、おおいに反省してみたいという思いをすてきれないでいます。

さきほどもうしましたように、コロナの影響で私が関係するいくつもの展覧会がいっせいに中止へと追いこまれていきました。ある展覧会などは、ながい年月をかけて企画され、やっと美術館に展示するところまでこぎつけたにもかかわらず、開幕をむかえたと思ったらその数日後に美術館の閉鎖がきまってしまった。そしてその後再開されることなく会期が終了してしまいました。[*6]私だけではなく、美術館員のみなさん、作品制作や展示に協力していただいたおおくのみなさんにしても、落胆と絶句と放心がないまぜになった精神状態におちいらざるをえない状況だった。

しかし私は例の〝神事としての演劇〟のことを思いだしながら、美術展においても、演劇と同様に、サンクチュアリ（聖域）とでも呼ぶべき特異な領域が、このだれもこない美術館にはたちあらわれているのではないかと、そのように想像しないではおれなくなっておりました。


またまたふるい話ですが、ピラミッドや古墳をつくった古代人たちに思いを馳せてみたくなります。ピラミッドや古墳、それらの内部には死者しかいません。それにもかかわらず古代人たちは美しい壁画や豪華な副葬品を墳墓に〝展示〟したのです。いまの感覚でとらえれば、ピラミッドや古墳の内部空間とは、みごとなまでにしつらえられた完璧な「無観客の展覧会」であったのだとはいえないでしょうか。

開催されることがなかったのに展示だけは完璧になされた展覧会。それはピラミッドや古墳の内部空間にどこか似ています。展覧会（といまは呼ばれている、ある種のかざりつけ）もまた、かつての演劇とおなじように、人間の観客のかなたの〝なにものか〟にささげられるべき儀式だったのかもしれません。その〝なにものか〟の姿は不可視的なので、私たちはそれを感じとるほかないのですが、あえてその〝なにものか〟を言葉にするとしたら、神であるとか、魂であるとか、宇宙であるとか、自然であるとか、無であるとか、そういった人間世界の枠組みの外部領域にあるなにかとしてたとえるほかないのかもしれません。

パンデミックからまなぶもの

などとあれやこれやと妄想しているうちに、「ああ、そうだった」とあることが思いだされました。それは私の子ども時代の思い出です。

私はちいさいころから絵を描くのが好きでした。格別上手だったわけではありませんし、描いてだれかにみせたい、ほめられたいというような気持ちもありませんでした。将来は芸術家になろうなどと思ったこともなく、なぜかわかりませんがただ描きたいという衝動だけがありました。

ところが小学校に入学すると、美術（図画工作）の授業があり、先生や級友たちに絵をみせなくてはならない。このとき先生から「モリムラくんの今度の絵はあまりおもしろくないね。まえのはよかったのに」などと指摘されてしまうと、子どもというものもしたたかなものです。先生がどういう絵を期待しているかを察知して、ほめてくれそうな「だれかにみせる用の絵」を提出するというわざにでて、それとはべつにだれにもみせず好きなように描く「自分用の絵」も、かくれて描きつづけるようになりました。

長じて、私は美術家になったわけですが、美術家としての私自身の根っこのところまでさかのぼっていくとき、そこにみいだせるのは学校で描いていた「だれかにみせる用」のほうではなく、まちがいなく、かくれてコソコソ描いていた「自分用」のほうなのです。美術教育はむずかしい。そもそも美術や芸術をおしえることなんてできるのだろうか。自分自身の子ども時代を思いおこしながら考えさせられてしまいます。

それにしても、だれにもみせずかくれて好きな絵を描いていただけの、あの子ども時代と、古代人が古墳やピラミッドの内部になにかをあらわそうとしていた太古、両者はもちろんぜんぜんちがうのですが、しかしどこかで水脈が通じているようにも感じられてなりません。その実感から、この節の冒頭で紹介した私の短文の最後を、つぎのような一文で終えました。

私は子供の頃、絵を描くのが好きだった。ただただ絵を描くことに没頭していた。誰かに見せるためでも、将来、画家になるための予行演習でもなかった。

あの頃の表現への純粋な欲望は、ひょっとしたら、どこかで古代人たちの表現の欲望とつながっていたのかもしれない。

あの頃に立ち戻り、自分がいったい何のために絵を描こうとしていたかを、今この時期に、もう一度見直してみよう。

（略）宇宙や自然は確実に存在する。それらを相手に、私自身のちっぽけな表現の欲望をぶつけてみることはできる。どうも人間は人間ばかりを相手にしすぎ、自家中毒を起こしてしまったようである。（「Dear 2020」森村泰昌より）

コロナというパンデミックのなかで、世界中のおおくの人びとがくるしみ、命を失いながらも、この災厄がすぎさるまでじっとたえしのんでいる。その切実な現実を厳粛にうけとめながら、しかし私は思いきって以下のようにしるしておくことにいたします。

コロナとは、私にとってじつに手厳しいまなびの場を提供してくれた教師である。あるいはこうもいえるかもしれません。これまで自分なりにつくりあげてきた芸術表現の意味や人生のありかた、その習慣病の根本的な治癒のためにやってきた、荒療治の名医なのではないかと。

　コロナというパンデミックは、すぎさってゆくのをひたすら待つしか、なすすべはないのかもしれません。しかしそれは、悪鬼が退散し、まるでなにごともなかったかのように、もとの生活が再始動すればそれでいいという意味ではないはずです。思うに人類はもうさほど若くはありません。あいもかわらず青春を謳歌して、またふたたびコロナまえとおなじように暴走するようでは、そのさきはしれています。アフター・コロナの人類のふるまいが、コロナによって問われています。

＊1　第四話同様、ここでもまた、すべてこの講義を行った時点の〝語り〟をそのままもちいている。
＊2　アメリカにおけるニューディール政策下の文化政策の成果と問題点については、参考までに以下の文

献をあげておく。

・ニューディール時代の文化政策の現代的意義――社会資本から文化資本の政策への転換　出口正之　文化経済学　第3巻第4号（通算第15号）

・世界大恐慌と連邦美術計画――1930年代における「万人のための芸術」　西郷南海子　同志社アメリカ研究　第56号

・ニューディールの芸術文化政策――財務省絵画・彫刻部（セクション）の芸術プログラムの特性――　工藤安代　文化経済学　第5巻第1号（通算第20号）

また、FSA（農業安定局）による写真家起用については、以下を参照されたい。

・特集＝写真をめぐって　FSAの写真――FSAをめぐる三つの写真集による考察　増田玲

＊3　『人間風景　新版増補版』（松本俊介著、中央公論美術出版、平成二年初版）を参照した。

＊4　「Dear 2020」は、ジャパン・ソサエティーNYの依頼を受け、そのFacebookに投稿した短文。

＊5　「野性〝能〟」京都公演は、京都東山九条　北河原市営住宅跡地にて2019年11月17日に開催された。作・出演：森村泰昌　演出：あごうさとし　出演：太田宏（青年団）　太田真紀（ソプラノ）　葛西友子（パーカッション）　ここで言及されている舞台監督とは夏目雅也のことである。

＊6　『森村泰昌の遊ぶ美術史　ほんきであそぶとせかいはかわる』展は、富山県美術館にて2020年3月7日～5月10日まで開催される予定であった。

第六話

生き延びるために芸術は必要か

―― 作品、商品、エンタメ、芸能、そして「名人伝」

2021年2月15日(月)～3月15日(月)

大阪大学講義　限定期間のオンラインにて配信

芸術は「不要不急」の活動か

新型コロナウイルスの感染拡大以降、「不要不急」というこれまでおなじみではなかった四文字が、ずいぶんつかわれるようになりました。

芸術ってどうなんでしょうか。「不要不急」なんでしょうか。かならずしも必要というわけでもなさそうですし、さほどいそぐ用事でもないような気もいたします。

芸術の立場ってあいまいです。必要なんだかどうなんだか、よくわからない。病院とかはぜんぜんちがいます。人の命を救うわけですから、それはもう急を要する大事な施設であることはあきらかです。ですから緊急事態宣言発出などといわれてしまうと、芸術をやっている身としては、どうも肩身がせまいのです。

……こんなふうにきりだすと、「一度おとしておいて、あとでそんなことはありません、芸術ってけっこう捨てたもんじゃありませんよともちあげる展開なんでしょ」と、裏読みする方もおられるかもしれません。でもそれはちがいます。

芸術が「不要不急」の用事なのか、それとも人間や社会にとって必要なのか、私自身よくわからないのです。それで今日は、「そもそも論」からはじめてみたいと思います。そもそも芸術とはなんなのか。まずもってそこがわからないのであれば、芸術というものが必要かどうかもわかりませんから。

そんなわけで、これから芸術とはなにかについて、私の見解をお話ししていくのですが、専門的な芸術論は私の手におえません。ほかの語り手におまかせするのが賢明かと思います。ですので、これから語るのはすべて私の体験的芸術論です。ツメは若干あまいかもしれませんが、実感はこもっているのではといちおう自負はしておくことにいたします。

「作品」と「商品」はなにがちがうのか

私は芸術という分野に身をおいているので、日頃から「作品」という言葉をよくつかいます。毎日、「作品」のことばかり考えているといってもおおげさではありません。

しかしおおくの人びとの日常生活ではどうなんでしょうか。スーパーマーケットやコンビニにいっても、「作品」なんてものには、めったにおめにかからない。おなじ「品」でも、みかけるのは「作品」ではなく、そうですね、たいていは「商品」という品物のほうではないでしょうか。

いま「品物」といいました。山に自生する樹木や川べりにころがる石とかは「品物」とは呼びません。「品物」とは自然そのものではない。人間の手がはいっているもの、人間が加工したものをさしているようです。そういう意味では「作品」も「商品」も、おなじように人間の手がはいった「品物」なのだといえそうです。であれば、「作る品物＝作品」と「商う品物＝商品」は、それがあつかわれる場所がちがうだけで、似たようなありかたをした「品物」であるようにも思えます。じっさい、画廊にいけば「作品」は購入可能なわけですから、「作られる作品」は「商われる商品」でもある。

だったら「作品」と「商品」とのちがいなんて、ことさらとりあげるのも無意味なような気もしてきます。たしかに「商品」と「作品」の境界線は、まあグラデーションですね。「商品」にも「作品」的要素はあるだろうし、その逆もある。

そのとおりなんですけれど、しかしそのように理解したうえでなお、「商品」が「商品」たるゆえん、「作品」が「作品」たるゆえんを考察してみるというのはけっして無意味ではないようにも思えるのです。

「あったらいいな」と「ありえへん」

話をもどします。「商品」とはなにか。そして「作品」とはなにか。私の結論をさきにしるします。

「商品」とは、「あったらいいな」の世界である。
「作品」とは、「ありえへん」の世界である。

私たちが日々のくらしのなかで、「こういうものがあったらたのしいな、便利だな」といろいろと、ないものねだりのリクエストをしておりますと、このいわゆる消費者ニーズ、私たちの「あったらいいな」のねがいにきちんとこたえてくれる「品物＝商品」が製造され販売される。単純化すれば以上のような流通の経路がつくられていくことが「商品」の理想型、つまり「良い商品」「健全な商品」のありかたなのではないでしょうか。

売る側と買う側に共通の〝欲望〟、あるいは〝夢〟が「あったらいいな」なのであり、この「あったらいいな」の具現化が「商品」となる。すべてのはじまりには「あったらいいな」があるんですね。ですから生産者や売り手がかってに「これだ！」「これがいい！」ときめこんで売りだしたとしても、結局は倉庫に在庫をかかえてしまうことになる。うごかない「商品」は、「商品」としては失格だといわれても反論の余地はないのではと思います。

「作品」のほうはどうでしょうか。19世紀後半のオランダの画家、フィンセント・ファン・ゴッホ（１８５３～１８９０）。この画家は37年のみじかい生涯に、油絵８６０点、水彩画１５０点、素描１０３０点と、膨大な数の「作品」を残しました。

しかし生前に売却されたのは、『赤い葡萄畑』（１８８８年）という晩年の一作だけでした。ゴッホの絵画を「商品」としてとらえるなら、売れない絵画は「商品」として確実に失格です。いくらゴッホが「これだ！」と確信しても、消費者ニーズにマッチしないのであれば、もうしわけないけれど、売れないのも当然というほかありません。当時のたいていの人びとにとって、あらっぽい筆致で描かれた奇抜な色彩の人間の顔や風景は、「自分の部屋にこんなのが一枚あったらいいな」ではなく、「なんでこんな絵を描くのだろう」と拒否反応を呼びおこしてしまう「ありえへん」世界だった。

図１　フィンセント・ファン・ゴッホ
『星月夜』1889 年

私たちは夜空をみあげて、「キレイだなあ」などとありきたりな表現で終わらせようとしてしまいます。ところがゴッホはちがっていた。ゴッホには名状しがたい不定形な生命体が夜空にうずまくさまがありありとみえていた。その幻視が『星月夜』（１８８９年）をはじめとするさまざまなゴッホ作品にあらわれている。ゴッホにはみえていたけれど、当時の人びとにはみえなかったし、みようともしなかった、そんな「ありえへん夜空」が「作品」となる（図１）。

しかしいまではゴッホ展が開催されると、美術館は行列のできる店みたいになる。かつての「ありえへん」が「あったらいいな」に化けてしまった。私たちはいまごろになって、やっとゴッホの「ありえへん」に追いついてきたということなのでしょう。

エンターテインメントとはなにか

「商品」と「作品」の関係を考察するにあたり、もうひとつべつのキーワードをとりあげてみます。なにかというと「エンターテインメント」です。

「エンターテインメント」、俗にいう「エンタメ」。ウィキペディアによれば、「エンターテインメントは、人々を楽しませる娯楽」とあります。

「エンタメ」の世界、私はけっしてきらいじゃありません。白状しますが年末にテレビで生中継される『Ｍ－１グランプリ』、毎年たのしみにしています。事前に出場者たちの研究をしたりしています。

「エンターテインメント」について、私のある知人がつぎのように定義しています。

　エンターテインメントとは、あらかじめわかっていることの再確認である。[*1]

わかったようでわからない説明です。私も一瞬とまどいましたが、しだいになるほどと納得できるようになりました。

ディズニーランドでもＵＳＪでも、あるいはだれかのライブコンサートでもいいのですが、エンタメ的な催しにいくことになったとします。そのとき私たちは、そこにいけばこんなキャラクターやアイドルに出会えるぞとか、こんなスリリングな体験があじわえるぞとか、そういう期待感（＝あらかじめわかっていること）で、まずは胸をふくらませます。そして当地を訪れて、期待どおりのじゅうぶんなサービスが提供されたとき（＝再確認）、私たちは充足感にひたれます。エンタメ体験は、おもしろいと事前にわかっているところにいくからおもしろいのだというわけですね。

美術館は、よくわからない

ところがエンタメ会場から美術館へ移動したとしましょうか。

ここではどうも気持ちをきりかえる必要があるようです。というのも、あたりまえの話ですが美術館には「作品」しか並んでいないからです。すくなくとも展示室では「商品」は売っていません。そして「作品」とは、これまでお話ししてきたように「ありえへん」の世界です。「あったらいいな」を期待しても、美術館では出会えません。

もちろんあなたのおメガネにかなう「あったらいいな」としての「作品」をみつけることもできなくはない。でも〝おメガネ〟ばかり期待していたら、美術館にはガッカリさせられることがおおいのです。


正直にもうします。私は美術という分野で何十年と活動してきましたが、この私自身も美術館では「よくわからんなあ」と首をかしげることがフツウです。

こういっては失礼かもしれませんが、美術館にこられている観客のみなさんも、たいていは館内で「よくわからん」ととまどっておられるはずです。美術館で腕組みをし、真剣なまなざしで絵を鑑賞なさっている方によく出会います。そんなとき私はいつもこう考えるのです。

「ああ、このひとも絵のことがよくわからないのだなあ」と。

人間というものは、こまったときには腕ぐみをする。そしてだまります。わからないというそぶりをみせたくないので、真剣な顔つきになっているだけなんです。

ですから心配する必要はまったくありません。美術館で腕ぐみをしているひとをみつけたら、「ああ、このひとも自分とおなじように、よくわからないんだなあ」と安心すればいいだけです。

意地悪な見方をしてしまいましたが、だれかを揶揄《やゆ》したいわけではありません。そうではなく美術館とは、「あらかじめわかっていることを再確認する」場所ではなく、「こんなこと、ありえへん」という「わからなさ」が常態であるということがいいたかっただけなのです。

芸術はスフィンクスである

20世紀の芸術表現のありかたをぬりかえたとさえいわれる、マルセル・デュシャン作、『泉』（１９１７年）という作品があります（図2、次ページ）。

作品ともうしましたが、ごらんのように単なる男性用便器です。デュシャンがつくったわけではありません。工場で製造された工業製品です（くわしくいうなら、いま私たちが目にする『泉』作品は、工業製品のそのまたレプリカなのですが）。

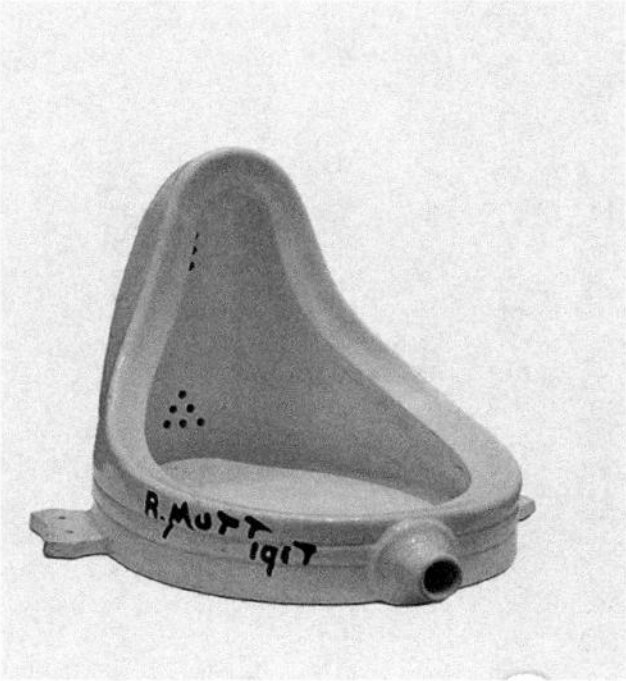

図２　マルセル・デュシャン
『泉』1917年／1964年

工業製品なら、それはどう考えても「商品」です。ところがこの「商品」が美術館の台座におかれ、これはマルセル・デュシャンの『泉』だとキャプションがついたとたん、「作品」となる。

　こういう現象は、だれにとっても「わかっていることの再確認」でもなければ、「あったらいいな」の世界でもありません。「なんでこんなヘンテコなものがここにあるのか、わからない」、つまり「ありえへん」世界の典型だといってもいいでしょう。

　このような「ありえへん」事態に遭遇したとき、「わからない」から自分には無関係だとして、その場からすぐにはなれていくケースがほとんどかもしれません。しかし「なんだこれは、よくわからんな」と感じたあと、「それにしてもどうして、こんなありえへんものが、ここにあるんだろうか」とたちどまり、わからないから余計に気になって、もっとながめてみたくなる、そういうケースもないではない。そしてここまできたらそれはもう、あなたと芸術とのあいだに信頼関係ができつつある証拠です。

「エンタメ」とは期待どおりのサービスの提供であり、すわっていれば、さっとお気にいりをお膳立てしてくれるという、いたれりつくせりのおもてなしの世界です。芸術のばあいはそうではない。すわって待っているだけではなにもおこりません。

芸術は不親切きわまりないスフィンクス。スフィンクスからの謎かけに、こちらからまえのめりになってつきあわなければ答えは得られないし、さきにもすすめない。このスフィンクスの「わからなさ」にむきあってみることが「おもしろさ」だと感じられてくるとき、芸術はエンタメ世界とは異なる、別種のちょっと目がはなせないワンダーランドにみえてくる。

「芸術」を「芸能」と比較する

もうひとつだけ、比較検討させてください。今度はなにかというと、「芸能」です。「芸能」と「芸術」、このふたつは「商品」と「作品」の関係に似ているかもしれません。ただしここでいう「芸能」とは、いわゆる伝統芸能ではなく、お笑いや歌手やタレントなど、いわゆる芸能人が活躍する芸能界のことだとご理解ください。

「芸」とは表現行為のことといっていいかと思います。だとすると「芸能」も「芸術」も、おなじように表現行為であることにまちがいはないでしょう。だったら「芸能」と「芸術」、いったいなにがちがっているのでしょうか。

この問いにたいして、私はつぎのように答えたいのですが、いかがでしょうか。


「芸能」とは、ぜったいにウケないといけない世界である。

「芸術」とは、ウケなくてもやらなければならない世界である。


ずいぶん以前、しりあいに某ロックバンドのリーダーがおりました。インディーズで人気があったのですが、やがて大手の芸能プロダクションから声がかかり、メジャーデビューすることになりました。よろこばしい話なのですが、バンドのリーダーは元気がない。聞くと事情はこうだった。

インディーズ活動というのは、一万人の支持者がいれば成立する世界なんだそうです。一万人のコアなファンの心にひびく音楽をやればいい。ところがメジャーデビューとなると、ひとケタ、あるいはふたケタ以上に数字がかわるという。一万人ではなく百万人に〝ウケる〟音楽でなければ、メジャーとはいえない。

　自分たちがほんとうにやりたい音楽は一万人になら確実にとどけられる。しかし百万人となると話はちがってくる。百万人という数字は、いいかえると、だれにでも〝ウケる〟音楽でなければならないというにひとしい。ほんとうにやりたい音楽はしばしば保留とし、まさに〝万人《ばんにん》にウケる〟音楽世界をつくらねばならない。そしてそのこととひきかえにメジャーデビューへの切符をつかむことができる。

　メジャーかそれともインディーズか、この二択のはざまで、そのひとは自分たちのやるべき音楽路線についてずいぶん悩んでおりました。

　さきほど話題にしましたが、年末の漫才コンテスト『M-1グランプリ』、あれは若手漫才芸人の頂点を競う大会で、グランプリを獲得すると一躍スターになれるという、芸人さんの人生を左右する一大お笑いイベントです。

　漫才というのは、目のまえのお客さんから、なにがなんでも笑いをとらなければ意味がない。ウケなければダメなんです。ウケるのであれば、やりたくないギャグであってもやらねばならない。そうしなければ生き残れない。芸能界は外からみているとたのしそうですが、じっさいの現場は熾烈かつ過酷です。でもそうした過酷な実情をオモテにみせてはならないのですから、なんとも非情な世界ではあるのですね。

「芸術」のほうはどうでしょうか。あのゴッホの絵は、弟のテオといったごく一部の支持者をのぞけば、当時全然ウケなかった。それにもかかわらず、ゴッホはあんなにたくさんの絵を描き残したのです。

ウケなければ生き延びることができない芸能界と、ウケなくてもやるべきことはやりつづけなければならない芸術の世界。「芸能」と「芸術」は、おなじ「芸」でもたち位置がまったく逆です。しかし「芸」であることの熾烈と過酷という意味においては共通しています。「芸術／マイノリティ」と「芸能／ポピュラリティ」は「表現」行為の、ということはすなわち文化のおそらくは両輪です。どちらがかけても文化はゆたかになりません。異なる領域であるからこそ、相補的に必要とされている。

ですから「芸能」がなんだかやけに「芸術」っぽくなったり、「芸術」が「芸能」のフリをしたりというのは、相互間のリスペクトにかけた失礼な越境ではないのかと、自戒をこめてそう思います。

芸術の「究極のビジョン」とはなにか

「商品」「エンタメ」「芸能」などとの比較をつうじて、「芸術とはなにか」という問いにちかづこうとあれこれ考察してきましたが、最後にこんな話をしてみます。それは、表現における「究極のビジョン」とはなにかというテーマについてです。なんだか現実ばなれした仙人の領域みたいな話ですね。

紹介したいのは、中島敦の『名人伝』です。ここには〝仙人〟がじっさいに登場します。中島は33歳で早逝した小説家（１９０９／明治42年〜１９４２／昭和17年）で、『名人伝』は中国を舞台にした弓矢の名人の物語です。１９４２年、中島が逝く年に発表されました。以下『名人伝』のストーリーを私なりに追っていくことにいたします。

……主人公は、弓矢の名人になりたいとねがう紀昌《きしょう》という若者です。紀昌は弓矢の達人、飛衛《ひえい》に弟子いりします。しかしなかなか弓矢をもたせてもらえない。師匠から「ただまばたきせず目をみひらいていろ」とだけ命じられる。訓練のすえ、紀昌はどんなことがあってもまばたきせずにいられるようになります。それでもまだ弓矢をもたせてもらえず、今度はそのまばたきしない目で、じっと一点をみつめろといわれます。そこでちいさなしらみをずっとみつづける。するとしらみがだんだん馬のごとくおおきくみえてくるようになってくる。こうして弓矢をつかうことがやっとゆるされる。もはや紀昌にはちいさなしらみが馬のごとくおおきくみえるわけですから、弓矢でしらみを射ることなどなんなくやってのけられるようになりました。

……ところが弓矢の腕が上達していくにつれ、しだいに紀昌はよからぬことを考えはじめるようになる。当代随一の弓矢の名手になりたいが、飛衛という師匠がいてはままならぬ。ついに紀昌は飛衛に矢をはなつのですが、即座に身の危険を察知した飛衛も矢をはなち、紀昌の矢を矢で討ちおとします。両者の攻防に勝敗がつかず、師匠の飛衛は弟子の紀昌につぎのように忠言する。弓矢の名人になりたければ、あのけわしい山の頂上に住む甘蝿《かんよう》老師のもとで修業にはげめ、と。

……紀昌は甘蝿老師をたずねます。紀昌がそのみごとな弓矢のテクニックを披露しても、老師がおどろくことはない。そして、「ひととおりできるようだが、それではまだ射《しゃ》之《の》射《しゃ》にすぎず、不射之射《ふしゃのしゃ》は知らぬようだ」といい、「不射之射」を実演します。甘蠅老師は弓矢をもちません。空をとぶ鳥にするどいまなざしをむけるだけです。にもかかわらず、鳥は矢に射ぬかれたかのごとく落下した。「不射之射」を知り、紀昌は自分がまだ名人からはほどとおくにあることをさとり、ながく修業をかさねることになる……

　こうして長年の修業のすえ、ひさびさに紀昌が街にもどったとき、紀昌の顔つきは以前とはさまがわりしている。人びとは紀昌に弓矢の名人技の披露をもとめますが、紀昌は家にとじこもったままなにもせず、やがてこんなうわさが流れるようになっていく。そのくだりを、中島敦『名人伝』から引用してみます。

　様々な噂が人々の口から口へと伝わる。毎夜三更《さんこう》を過ぎる頃、紀昌の家の屋上で、何者の立てるとも知れぬ弓弦《ゆづる》の音がする。名人の内に宿る射道の神が主人公の睡《ねむ》っている間に体内を脱け出し、妖魔を払うべく徹宵守護に当っているのだという。（略）邪心を抱く者共は彼の住居の十町四方は避けて廻り道をし、賢い渡り鳥共は彼の家の上空を通らなくなった。（『名人伝』中島敦より）

これだけでも紀昌は弓矢の名人であると、私などは感服してしまいますが、中島敦『名人伝』における真の「究極のビジョン」は、まだこのあとにあかされるのです。

『名人伝』の最後は、紀昌が死ぬ一年前のエピソードでしめくくられています。すこしながいですが引用いたします。

> 彼の死ぬ一二年前のことらしい。ある日老いたる紀昌が知人の許に招かれて行ったところ、その家で一つの器具を見た。確かに見憶えのある道具だが、どうしてもその名前が思出せぬし、その用途も思い当らない。老人はその家の主人に尋ねた。それは何と呼ぶ品物で、また何に用いるのかと。主人は、客が冗談を言っているとのみ思って、ニヤリととぼけた笑い方をした。（略）三度紀昌が真面目な顔をして同じ問を繰返した時、始めて主人の顔に驚愕の色が現れた。彼は客の眼を凝乎《じっ》と見詰める。相手が冗談を言っているのでもなく、気が狂っているのでもなく、また自分が聞き違えをしているのでもないことを確かめると、彼はほとんど恐怖に近い狼狽を示して、吃りながら叫んだ。
> 「ああ、夫子《ふうし》が、——古今無双の射の名人たる夫子が、弓を忘れ果てられたとや？　あ

あ、弓という名も、その使い途《みち》も！」（同書より）

強敵をたおす弓矢のあさはかさを知った紀昌は、やがて弓矢をもたぬ「不射之射」をさとり、ついには大切な弓矢をわすれる域にまでたっしたという。

『名人伝』の最後を、中島敦はこのようにむすんでいます。

その後当分の間、邯鄲の都では、画家は絵筆を隠し、楽人は瑟《しつ》の絃を断ち、工匠《たくみ》は規《き》矩《く》を手にするのを恥じたということである。（同書より）

本日のもともとのテーマは……そうでした。「芸術は必要か否か」でした。芸術は人間にとって必要なのか不要不急のものなのか。この問いを追いかけるにあたり、〝そもそも論〟として、「芸術とはなにか」というテーマを私なりの視点からお話ししてきたのでした。そして最後は中島敦の『名人伝』にいきつきました。

『名人伝』を知ってしまいますと、「芸術は必要か否か」とか、「芸術とはなにか」というような問いに頭を悩ませているようでは、どうも芸術の名人にはほどとおいのではと感ぜずにはおれません。私は名人になりたいわけでもないし、仙人とやらに特別な興味をおぼえているわけでもありませんが、しかし頭を悩ませて追求していけば難問はかならずとけるというような思いこみは捨ててもいいのかなと、そのようにだんだん感じてきたのはたしかです。

あえていうなら、難問は〝解く〟べきものでも、〝説く〟べきものでもない。おのずと〝溶けていく〟ものである。溶けてしまえば、答えをもとめて悩むこともなくなる。そうなれば作品をつくったり、本書を書いたりする必要もなくなるのだろう。しかしなかなかそのようにはなりませんから、しばらくはつくったり、書いたりしつづけることになりそうです。ここはあわてず気長に〝溶けていく〟のを待つほかないようですね。

＊1　ここでいう〝知人〟とは、河本信治氏のことをいう。どこかの講演会で河本氏が話していたと記憶しているが、いつのことかは忘れてしまった。

第七話

芸術家は明治時代をいかに生き延びたか・その1

―― 夏目漱石と『坂の上の雲』から明治を読み解く

2022年9月10日（土）

アーティゾン美術館・土曜講座
ふたりの「繋」が作り出した美術の世界／前編より

青木繁と『坂の上の雲』

今日のお話、少々いりくんでおります。当初の目的は明治生まれの画家、青木繁について考察することでした。青木繁は１８８２年（明治15年）に生まれ、１９１１年（明治44年）に29歳で亡くなっています。まさに明治とともにあゆんだ明治人。この画家が自分自身の時代といかにむきあい、いかに生きたのか。これが主要なテーマでした。

しかしそもそもこの明治とはいったいどんな時代だったのか。正直もうしまして、私にはそこのところがよくわかっていなかった。青木繁も明治時代もとおい昔のことに感じられ、いまを生きる私とさほどかかわりがあるようには思えなかったのです。

そこで、青木繁を考察するのであれば、そのまえにまずはこの明治時代について私なりのとらえかたをみいだして、そののちに青木にたちもどるべきではないか、そう考えたのでした。

結論をもうせば、明治はけっして現代と断絶してはいなかった。ふるい過去ではなく、むしろいまをみつめなおすためにも目をむけるべき起点となる時代であった。

明治を考察するにあたり、ひとつテキストをつかいます。司馬遼太郎著『坂の上の雲』。文庫本（文春文庫版）で全８巻という長大作、明治を舞台にした歴史小説です。私は司馬遼太郎さんの本をこれまでほとんど読んだことがなかったのですが、今回『坂の上の雲』に接し、いろいろ考えさせられました。

『坂の上の雲』には三人の主要な人物が登場します。秋山好古と秋山真之、このふたりは兄弟（好古が兄、真之が弟）です。そして三人目が正岡子規。子規はよく知られているように、日本の詩歌に革命をおこした文学者ですね。

秋山好古は１８５９年（安政６年）、弟の真之は１８６８年（慶応４年／明治元年）生まれ。10歳ばかり歳の差があります。正岡子規は１８６７年（慶応３年）生まれですから、秋山兄弟の弟のほうの真之とほとんどおない年で、このふたりはおさなともだちでもありました。

三人は同郷人です。伊予国松山藩、現在の愛媛県の生まれ。正岡子規は長じて文学者になり、秋山兄弟は軍人になりました。兄の好古は陸軍です。西洋式の騎馬隊を日本で組織したことで知られ、日露戦争においてロシア最強の騎馬隊といわれるコサック隊を撃破する。弟の真之のほうは海軍です。日本の連合艦隊の総司令官、東郷平八郎の参謀として、こちらもやはり日露戦争でロシアのバルチック艦隊に勝利する。司馬遼太郎さんによれば、日本の連合艦隊がバルチック艦隊を撃破できたのは東郷平八郎のというよりも、むしろ秋山真之の功績がおおきかったらしい。

　このように秋山兄弟は、国際政治において小国、日本が大国、ロシアを凌駕するきっかけをつくった、生粋の明治人だったといってもいいでしょう。

　と、おおまかに解説してみましたが、これだけでは三人の人物像がいまひとつイメージしづらいかもしれません。それでＮＨＫのテレビドラマ版「坂の上の雲」のキャスティングを紹介してみます。秋山好古は阿部寛、真之は元木雅弘、正岡子規が香川照之という顔ぶれです。なるほどと、私はこのキャスティングにはおおいに納得させられました。

夏目漱石、登場。しかし……

　さてここにもうひとり、話題にしたい人物がおります。だれかというと夏目漱石です。いうまでもなく、著名な明治の文豪です。漱石と正岡子規は親友でした。漱石は１８６７年生まれですから子規とおない年。ずいぶんキャラクターの異なるふたりのようにも思えます。しかし新しい日本の文学をめざすという志においては時代精神を共有しており、生涯にわたり深い親交をむすんでいます。

漱石は１８９５年（明治28年）に愛媛松山に中学校教師として赴任し、このときの体験からあの『坊っちゃん』が生まれるわけですが、その下宿先（漱石はこれを「禺陀仏庵」と呼んでいた）に、病気療養中の子規が長期逗留するというくらいの仲のよさでした。

さきほどもうしましたように、正岡子規のおさなともだちである秋山真之は１８６８年生まれですから、漱石や子規らとはひとつちがいです。そして三人はともに東京帝国大学に入学いたします。

『坂の上の雲』によればこの三人はそれなりに親密な交友関係があったようですが、それにもかかわらず、『坂の上の雲』における漱石のあつかいは意外にあっさりしています。

司馬遼太郎さんは、おさななじみの正岡子規と秋山真之の交友関係はていねいにおいかけているし、正岡子規と夏目漱石もちゃんと出会わせています。

ところが秋山真之と夏目漱石、このふたりが出会う場面はありません。ニヤミスはあるのです。愛媛でのくだりで、正岡子規のところに秋山真之がやってきます。子規は「ちかくに漱石君が下宿しているので、ひさしぶりに三人で会おうじゃないか」と提案するのですが、真之は「いや彼はきむずかしいし、自分はトゲトゲしているから」と告げて帰ってしまう。

秋山真之は軍人になったのですが、もともとは文学青年でした。この真之に感化され、正岡子規も文学をめざすようになったといういきさつがあるくらいです。

秋山真之に有名な文章がありまして、それはある電報文なんですね。日露戦争でバルチック艦隊を海上で発見し、これから連合艦隊が出撃するという直前に打った電報です。

> 敵艦見ゆとの警報に接し、聯合艦隊は直ちに出動、之を撃滅せんとす。本日天気晴朗なれども波高し

なんとも文学的な電報でおどろいてしまいます。正岡子規は「写実」ということを提言していますが、それに照らしあわせて評するなら、「天気晴朗なれども波高し」というのは「今日は天気がいいよ。波が高いよ」といっているだけです。写実なんです。しかしその写実的な風景描写には、これから出撃しようとする兵士たちの心意気がみごとにあらわれている。

相手はてごわい。しかし挑む気持ちははればれ（＝天気晴朗）としています。でもやっぱり波は荒れている。不安もあるけれど、それを吹きとばすくらい士気は荒々しく高揚（＝波高し）している。そんな出撃直前の心理状態を的確に伝える文面です。たんなる天気予報じゃない。

　こうした文才を持ちあわす真之なのですから、ひさしぶりに三人で文学話にはなをさかせてもよさそうなものなのに、真之は漱石には会わないで帰ってしまう。会わないといいますか、司馬遼太郎さんが夏目漱石と秋山真之を会わせようとしていない。つまりこのふたりの出会いをさけたがっているのは、じつは司馬遼太郎さんなのです。なぜ司馬遼太郎さんは、夏目漱石と秋山真之を会わせたくなかったのか。

　私見をさきにいわせていただくと、夏目漱石が感じとっている明治と、『坂の上の雲』で司馬遼太郎さんが書きたかった明治にはズレがあるからです。おなじ明治という時代にむきあっているにもかかわらず、世界観というか歴史観がちがっていた。極論すれば漱石の明治と、『坂の上の雲』の明治は対極に位置しているなと感じるくらいです。

『坂の上の雲』にみる明治像

ここで『坂の上の雲』に描かれた明治とはいかなる時代であったのか、あらためて確認しておくことにいたします。

『坂の上の雲』によれば、明治とは激変の時代でした。一例をあげると「廃藩置県」です。私はこれって「藩」が「県」へと名前がかわるだけのことなんだと安易にとらえていたのですが、『坂の上の雲』を読んで見方がガラリとかわりました。

江戸時代における「藩」とはいわば「国」なんですね。秋山兄弟や正岡子規が生まれたのも、〝伊予国〟松山藩です。日本各地にこの「藩／国」があって、各藩は殿様（＝王様）が統治しており、その殿様のために士族は身を粉にしてはたらく。はたらいて「禄」つまり給料を米でもらう。こうした日本全国の「藩／国」の統括を幕府が担当しているというのが、いわゆる幕藩体制でした。

いま「藩」は「国」だといいました。これをもうすこし私たちの時代にひきつけてたとえるなら、「藩」は「会社」みたいなものだととらえることもできそうです。すこし以前の日本では「会社」は基本、終身雇用制そして年功序列の組織でした。社員は定年までつとめあげることが前提で入社する。入社してまじめにはたらきつづけ、年齢とともにすこしずつ昇進し、やがて定年をむかえて退職する。

「藩」のばあいも同様に、藩士は藩に生まれ、藩ではたらき、それなりに出世し、それなりにしあわせな一生をおえるという人生設計を描いていたのだと思います。ですから坂本龍馬とかが脱藩などといいだすと、それは世話になった「藩／国／会社」からの亡命みたいなもので、わがままで恩知らずの犯罪行為としてあつかわれてしまうわけです。

ところが明治維新の結果、明治政府というものが突如生まれた。１８７１年（明治４年）には「藩」が解体され、かわりに「県」が設置される。そして県知事が東京の中央政府から派遣される。「藩」という名の会社組織（あるいは自治国）がおとりつぶしとなり、「大日本帝国」という巨大な会社（あるいは国家）に吸収合併され、本社のある東京でいっさいが決定されてゆく。

おとりつぶしですから殿様は実権を失効し、士族たちもいきなり失業となり行き場を失ってしまう。これからはみなさんかってに生き延びるすべをみつけてくださいという、荒療治というか非情な改革、そういう一面が明治維新にはあったということですね。

「貧乏がいやなら、勉強をおし」の精神

この激動の時代を生き延びるために、士族の若者たちはいかなる選択をしたのか。このあたりのいきさつを、『坂の上の雲』はわかりやすく一行で語ってくれています。こんな感じです。

「貧乏がいやなら、勉強をおし」。これがこの時代の流行の精神であった。（『坂の上の雲』司馬遼太郎より）

廃藩置県によって失業した若者たちが貧乏からぬけだすためには、ともかく「勉強しなさい」という。

いまではもうだれも口にしなくなりましたが、かつては「末は博士か大臣か」というフレーズが流布しておりました。『坂の上の雲』によりますと、もはや藩に忠義立てしていても

無益だし、剣術にたけていても、そういう武士的なスキルは必要とされなくなりました。ですから勉強して新時代がもとめる学問を習得し、学士（つまり博士）にならねばならない。工学博士になると鉄橋建設のリーダーというような立派なポストが約束される。医学博士ならあたらしい病院の病院長になることも夢ではない。勉強して博士になることがエリートコースへの第一歩であり、路頭に迷う一族郎党を貧困からすくいだすことのできる最良の選択肢だった。

「末は博士か大臣か」の「大臣」も同様です。「大臣」は政治家や軍人と広義にとらえてもいい。ともかく明治の若者たちには、生き延びることと「勉強をおし」は同義であるという共通認識があったのだと思います。

若い者の胸をあわだたせていた時代

生き延びることにたいする切迫感とともに、新時代への夢もひろがっていく。まさに激動の時代が明治なのですが、ここにさらにつけくわえておくべき明治の特徴がありました。以下、『坂の上の雲』からの引用です。

その廃藩置県から、子規や真之の中学上級生のころまでに十年そこその歳月が経っている。わずかその程度の歳月であるのに、「なにをするのも東京だ」という気分が、日本列島の津々浦々の若い者の胸をあわだたせていた。（同書より）

「なにをするのも東京だ」、なんです。「藩」の一国一国がそれなりに独立した自治権を保持していた時代は終わり、東京の中央政府の意向ですべてが決定される。そういう一極集中の時代なのであれば、新時代の情報をいちはやくキャッチするためにはやっぱり東京にいかなければならない。高い志をもった若者のこうした東京への憧憬を、司馬遼太郎さんは、「若い者の胸をあわだたせていた」と書いています。「あわだたせていた」とは、なんともうまい表現だと感心させられます。

こうして「勉強」と「東京」が、新時代を生き延びるための明治の若者たちのキーワードになったわけですが、ここにさらにつけくわえておくべき明治の特徴があります。ふたたび『坂の上の雲』から引用いたします。

> 立身出世主義ということが、この時代のすべての青年をうごかしている。個人の栄達が国家の利益に合致するという点でたれひとり疑わぬ時代であり、この点では、日本の歴史のなかでもめずらしい時期だったといえる。（同書より）

「立身出世主義」というのは、いまではどちらかといえばネガティブにもちいられたりしています。地位、名誉、財産といった世俗的な欲望をみたすために名門大学をめざすというような。

しかしと、司馬遼太郎さんはいう。しかし明治の「立身出世主義」にはネガティブな気分はなかったと。一個人が自分を立派に成長させ（＝立身）、社会の重要な仕事をになうこと（＝出世）こそが、日本という国家を世界の大国にひけをとらぬ立派な国に成長させていくことと同義であったのだと。

さきに、勉学にはげみ技術者になって鉄橋をつくるというような話を例にあげましたが、明治の若者が立身出世し、そうした立派な仕事を達成すると、その個人的な業績は即効薬よろしく、たちどころに日本を立派な国家へと成長させる結果にむすびつく。明治とは、「個人の栄達が国家の利益に合致するという点でたれひとり疑わぬ時代」だった。個人の立身出世はそのまま国家の立身出世でもあったという「日本の歴史のなかでもめずらしい時期」、それが明治であったというのが司馬遼太郎さんの歴史観です。

明治の若者はこの激変の時代を生き延びるためにおおいに苦労したけれど、同時に自分たちの生きかたを胸を張ってほこれるわけで、そういう意味では明治人の気質というものは、どこかいつも明朗で、はればれとしていたのかもしれません。

正岡子規と青木繁に流れる明治の血気

では明治人、正岡子規はどうだったのか。子規は「末は博士か大臣」にはならず、文学者になりました。しかし『坂の上の雲』に登場する子規は、まさに「末は博士か大臣」をめざして上京する血気さかんな明治の若者のひとりとして活写されています。それはこんな感じです。

どうやら文学青年の上京といったものではなく、この少年（正岡子規）は天下でもとりにゆくようなきもちでいた。明治初年の気風であろう。

　当時の子規の書簡を意訳すると、「功名は天下衆人があらそうて得ようとするところのものである。しかしながら功名は金持や貴族の専有物ではない。学べばわれわれ庶民の子も公卿になることができる」公卿ということばをつかっている。公卿とは、天下の直臣である。「私どもは公卿になることのみを欲しないが、しかし社会の上流に立とうと思っている。それには学問を勉強する以外にはない」（同書より）

「天下でもとりにゆくようなきもち」で子規は四国の愛媛から東京をめざしたという。子規のおさなともだち、秋山真之は軍人になりますが、ほんとうは子規も軍人になりたかった。じっさい子規は持病の結核をおして日清戦争の従軍記者に志願し病気を悪化させたりしています。文学者になりたかった秋山真之は軍人となり、軍人になりたかった正岡子規は文学者となったわけですね。

　しかし軍人であれ文学者であれ、いずれの選択であっても子規の心意気はあくまで「天下でもとりにゆくようなきもち」という〝出撃気分〟です。子規は病弱ではありましたが、なかなかの体育会系の文学者だった。なにせ日本に野球をひろめるために一役かったのも正岡子規だったくらいですから。

「天下でもとりにゆくようなきもち」で東京をめざし、地方出身者であっても立派な人間になれるのだと心を「あわだたせていた」若き正岡子規像を『坂の上の雲』のなかで知り、これとそっくりな明治人がいるなと思いあたりました。画家の青木繁です。美術における青木繁と文学における正岡子規はよく似ています。

青木繁は郷里の久留米をとびだし東京にむかいます。このときのいきごみを青木は文章に残しています。

> 数学でも科学でも非常に好きであったが、そのほうの学者になって一生を終わるのは残念だし、政治は牧民の業で快心の事だが、これもわが貴重な一生を投じてしまうほどのものではない。軍人は面白いが、当時僕は歴山大帝を崇拝していたので、あのような男子にならねばならぬ、しかし今日では軍人になったところで、一つの戦争を業とする人間で、到底歴山大帝の心事は実現しうべきものでないということを考えた。（青木繁全文集『假象の創造』所収「自伝草稿」青木繁）

自分は歴山大帝（アレキサンダー大王）みたいな人物になるんだと豪語しています。学士、軍人、政治家もいいが、やっぱり芸術家だ。自分は芸術世界における歴山大帝になるのだという。正岡子規と同様、青木繁も「天下でもとりにゆくようなきもち」で東京にのりこみ、芸術家として立身出世の道を夢みているのです。しかし正岡子規も青木繁も道なかばで若くして亡くなってしまう。子規は１９０２年（明治35年）34歳、青木繁は１９１１年（明治44年）29歳でした。

漱石作品があらわすもうひとつの明治

話題をふたたび夏目漱石にうつします。

私の中学高校時代には、漱石の小説は青年の必読書でした。私も読みましたが、当時はよく理解できませんでした。あらすじはわかるのです。でも主人公がなんともウジウジしていていて歯ぎれがわるい。読みながら、さっさと話をまえにすすめていってほしいものだとイライラさせられたりしていたのです。しかしあらためて読みなおし、漱石のおもしろさにやっと気がつくようになりました。

漱石の比較的初期の小説に『三四郎』（１９０８年／明治41年）があります。ここに「広田先生」という人物がでてきます。学生たちはみんな広田先生に敬意をはらっており、大学の重要なポストにつかせたいと勝手な画策をするのですが、広田先生のほうにはまったくその気がない。

三四郎がはじめて広田先生に会う場面で、三四郎が「しかしこれからは日本もだんだん発展するでしょう」などというと、いきなり先生からは「滅びるね」とかえされて度肝をぬかれる。そのあと三四郎の郷里が熊本だと知った広田先生はつぎのようにつづけます。

「熊本より東京は広い。東京より日本は広い。日本より……」でちょっと切ったが、三四郎の顔を見ると耳を傾けている。

で、このあとにふつうなら「日本より世界は広い」とつづきそうなところですが、広田先生はちがっていた。

「日本より頭の中が広いでしょう」と言った。

おわかりのように、「広田先生」は明治における、あの立身出世主義とはほどとおい信条の持ち主なんですね。

『三四郎』の続編ともいわれる『それから』（１９０９年／明治42年）ではどうなっているかというと、主人公の代助は仕事もせず、いわゆるプー太郎です。父親が「いつまでぶらぶらしているのだ。なにか世の中に役立つ仕事にでもついてみたらどうだ。そのきもちがあるのなら自分も支援する」などと説教するのですが、代助のほうはこの父親にうさんくささを感じてしまっている。

父親の本音（世間体とか出世欲とか）と建前（世の中の役に立つ）のつかいわけが代助にはウソっぽく感じられてしかたがない。明治の話なのですが、すでに『それから』の主人公は明治以降の若者の感覚を持ってしまっている。

そんな代助を目下悩ませているのは恋愛問題だった。友人の妻との不倫関係です。最後は友人からその妻をうばいとり、世間からのバッシングにあって、ついには身動きがとれなくなってしまう……という、まことに不道徳な物語を漱石は書いている。

『三四郎』から『それから』へ、そして『門』にいたりさらには『こころ』へと展開していくにしたがって、主人公の人生はいかんともしがたい破局へとつきすすむ。

一連の漱石の小説を読みますと、そこに描かれている明治は『坂の上の雲』の「若い者の胸をあわだたせていた」とか、「立身出世主義」とか、「天下でもとりにゆくようなきもち」といった、はればれとしたまえむきの高揚感からはどうもほどとおい。暗雲がたれこめ、主人公だけではなく、主人公にかかわるまわりの人びとも深くきずつけてしまっている。勇ましいところなどひとかけらもなく、なさけないくらい私的生活の苦悩があれやこれやと連綿とつづられている。

『坂の上の雲』と『三四郎』を読みくらべる

漱石の明治にたいし、『坂の上の雲』はどうかというと、たとえば兄の秋山好古が弟の真之につぎのように説教するくだりがあるんですね。好古は35歳になってやっと結婚するのですが、当時としてはこれはかなりの晩婚です。そんな好古が真之にこんなふうに語ります。

> 結婚をすれば家庭の雑事にわずらわされて研究もおろそかになり、ものごとを生み出す精神がボケてくる。情欲がおこれば、酒を飲め。諸欲ことごとく散ること妙である。
> （『坂の上の雲』司馬遼太郎より）

ホレタハレタの問題など酒でも飲んだらさっぱりとわすれてしまえるという。そんなことよりももっと大事なことがある。われわれ（明治人）には、天下国家を論じお国のためにはたらくという、はたすべき名誉なお役目があるではないかと好古は断言しています。

この一節を読んだとき、私はつぎのような感想をもちました。『坂の上の雲』はじつにおもしろく、またいろいろとおしえられるすばらしい小説ではあるけれど、なんとも色気のない小説だなあと。

『三四郎』の主人公、三四郎は物語の冒頭、東京にいき勉学にはげまなければと、それなりに「胸をあわだたせて」いる。いかにも明治の若者という雰囲気で登場してきます。

話は三四郎が熊本から上京するためにのった汽車の車中からはじまるのですが、のりあわせた乗客たちが雑談しています。その声が三四郎の耳にもはいってくる。初対面同士の中年男性と、となりの座席の女性が雑談をかわしている。女性のほうが話しだし、それにこたえて男性がいろいろ愚痴をいっています。

> 初めのうちは只はいはいと返事だけしていたが、旅順以後急に同情を催して、それは大いに気の毒だと言い出した。自分の子供も戦争中兵隊にとられて、とうとうあっちで死んでしまった。一体戦争は何のためにするものだかわからない。後で景気でも好くなればだが、大事な子は殺される、物価は高くなる。こんな馬鹿げたものはない。世の好い時分に出稼ぎなどというものはなかった。みんな戦争のお陰だ。（『三四郎』夏目漱石）

日清日露の両戦争で日本は清国とロシアという大国に大勝する。たとえるなら、スポーツ競技においてワールドカップやオリンピックで日本チームが強豪をやぶり優勝したかのような熱狂が、日本国中を席巻したというような感じでしょうか。

戦争とスポーツをかさねあわせるのは言語道断である。そのご指摘には全面的に賛成なのですが、それでも私は高揚感とか熱狂とか一体感というものには、それがいかなるものであれ、どうもなじめないでいるのですね。

で、漱石はどうだったか。若々しくはればれとした青春小説であるはずの『三四郎』の冒頭で、勝利にわく当時の世間の高揚感には背をむけるかのように、「戦争は何のためにするものだかわからない」、「こんな馬鹿げたものはない」と端役の登場人物にそれとなくいわせてしまっている。世の趨勢である戦勝の高揚感に水をさす感じなのですが、こうして脇役に語らせるかたちでちらつかせる漱石の本音には、『坂の上の雲』とは異質な明治が感じられ、なかなか興味深いのです。

漱石は青木繁になにを感じたか

夏目漱石が青木繁の絵画に言及している箇所があります。『それから』のなかで、青木繁の『わだつみのいろこの宮』（図1、215ページ）についてこう書いている。

いつかの展覧会に青木という人が海の底に立っている背の高い女を描いた。代助は多くの出品のうちで、あれだけが好い気持ちに出来ていると思った。つまり、自分もああ云う沈んだ落ちついた情調におりたかったからである。（『それから』夏目漱石）

いろいろな展覧会でいろいろな画家の出品作をみたけれど、『わだつみのいろこの宮』だけが「好い気持ちに出来ている」という。

この大作を青木はいきごんで描いたのですが、画壇での評価は意外にもひくかった。この過小評価が、青木のその後の人生におおきな影をおとすことになる。ところがそういう一般的な評価とは関係なく、漱石はこの絵が好きだった。どこがいいのかというと「ああ云う沈んだ落ちついた情調」だという。

これは西洋絵画におけるいわゆる「メランコリア」です。「天気晴朗なれども波高し」でも「胸をあわだたせていた」のでもなく、「ああ云う沈んだ落ちついた情調」なんです。物思いにふけるというか暗鬱な気分というか、そういう芸術家特有の気質とされるメランコリアを青木作品に感じ、そこに漱石はひかれているのです。

図１　青木繁『わだつみのいろこの宮』1907年、石橋財団アーティゾン美術館蔵

漱石が力説する「牛の哲学」

青木にたいする漱石の評価について言及したので、坂本繁二郎についてもお話ししておくべきかと思います。

漱石は、『うすれ日』（図2）という坂本繁二郎の牛の絵を新聞で高評価し、この展評が坂本繁二郎の自信となって、その後の坂本の画業へとつながったといわれています。

坂本繁二郎は青木繁と同郷の久留米出身です。しかもおない年。親友でありライバルでもありました。青木の絵のメランコリアにひかれた漱石は、坂本の〝牛の絵〟にもひかれています。

〝牛〟で思いだすのは、漱石がふたりの弟子、芥川龍之介と久米正雄に宛てた手紙文です。

漱石は〝牛〟についてこんなふうに書いている。

> 牛になる事はどうしても必要です。われわれはとかく馬になりたがるが、牛にはなかなかなり切れないです。僕のような老猾《ろうかい》なものでも、ただいま牛と馬とつがって孕《はら》める事ある相の子位な程度のものです。

あせっては不可《いけま》せん。頭を悪くしては不可せん。根気ずくでお出でなさい。世の中は根気の前に頭を下げる事を知っていますが、火花の前には一瞬の記憶しか与えてくれません。うんうん死ぬまで押すのです。それだけです。（中略）何を押すかと聞くなら申します。人間を押すのです。文士を押すのではありません。（芥川龍之介と久米正雄に宛てた手紙文からの抜粋　夏目漱石　大正5年8月24日[*1]）

図2　坂本繁二郎『うすれ日』1912年、三菱一号館美術館寄託

ここに書かれているのは、漱石のいわば「牛の哲学」です。漱石いわく、「牛になる事はどうしても必要」だと。「われわれはとかく馬になりたがるが、牛にはなかなかなり切れない」のだと。

馬じゃない、牛だ、というのが漱石です。『坂の上の雲』の秋山好古は、ロシアのコサック隊を撃破する日本の騎馬軍団を組織した軍人でした。ああいう勇ましい馬じゃない、「うんうん死ぬまで押す」ような鈍重な牛にならなくては と、漱石は弟子たちにせつせつと語りかけています。

話は脱線しますが、最近ある仕事の関係で競馬場を何度も訪れる機会がありました。そうしますとあたりまえですが馬がいます。競走馬を競馬場でみたことのない方がおられましたら、ぜひいってみてくださいとおすすめします。みてしまうとだれもがきっと馬好きになります。競争馬はみがきぬかれたスーパースターのアスリートなんですね。

じつは私もいまやかなりの馬好きになってしまったひとりです。ですから秋山好古の騎馬軍団、それに「天気晴朗なれども波高し」と詠んだ秋山真之の日本海軍、そうした当時のスターたちにたいする明治の人びとのあこがれの気持ちはよくわかるのです。

しかし当時の日本の高揚感を、「火花の前には一瞬の記憶しか与えてくれません」と一蹴する漱石のさめたまなざしは重要です。メランコリアの青木繁、牛の坂本繁二郎。このふたりの画家を評価した、あの夏目漱石のまなざしです。

明治という激動の時代を芸術家はいかに生き延びていくか。いやそのまえに芸術家が生き延びるとは、そもそもなにを意味しているのか。こうした問いに漱石そして青木や坂本らが、その作品や生きかたを通じて、なにかしらの答えをあたえてくれているような気がします。

それはいったいなんだろうか。次章では青木繁と坂本繁二郎を中心に、いますこし明治の芸術家たちの生き延びかたについて思いをめぐらせてみることにいたします。

＊１　『漱石書簡集』（三好行雄編、岩波文庫）「牛になって人間を押せ」より引用

第八話

芸術家は明治時代をいかに生き延びたか・その2

—— 青木繁と坂本繁二郎が残したもの

2022年11月26日（土）

久留米市美術館・講演会
ふたりの「繁」がつくりだした美術の世界／後編より

ふたりの「繁クン」があゆんだ道

青木繁と坂本繁二郎。気がつかなかったのですが、青木繁の「繁《しげる》」と坂本繁二郎の「繁《はん》」は、おなじ漢字の「繁」です。ふたりの「繁クン」なんです。ふたりは１８８２年（明治15年）、久留米に生まれました。おない年でしかも同郷。子どものころから絵を描くことにたけ、坂本繁二郎は10歳から、青木繁はすこしおくれて13歳から、森三美《みよし》というおなじ先生に西洋画をならっています。

年齢や故郷など、似たもの同士にも思えますが、でも絵の作風やあゆんだ人生はずいぶんちがっていた。青木繁は22歳で『海の幸』によって明治の画壇におおきな衝撃をあたえ、しかし破滅的な晩年へといたって、１９１１年（明治44年）、その波乱にとんだ生涯を29歳でとじました。

いっぽうの坂本繁二郎は、あれやこれやと悩みながら自分の作風をじょじょにつくりあげていく画家でした。１９２１年（大正10年）にフランスに留学し、帰国後は終生九州の八女《やめ》のアトリエで絵を描きつづけ、１９６９年（昭和44年）に87歳で世をさりました。

こんなふたりの「繁クン」なのですが、両者のあいだには、部外者の私たちにはたちいることがはばかられるような、複雑な思いや葛藤があったのではないかと想像してしまいます。

青木繁の死後、坂本は遺作展の開催や青木作品の散逸を危惧して、ともかく青木のために奔走しています。久留米市の兜山（通称けしけし山）に青木の歌碑の建立を実現させたのも、坂本の尽力なしでは考えられません。

他方で、青木によせた坂本の追悼文には友を悼むというより、なにかしら言い淀んでいるような逡巡の色調を感じてしまうのは、私だけの思いすごしでしょうか。青木の『海の幸』についても、あの絵に描かれた情景は自分（＝坂本）がみた光景であって、青木は実際にはみていないのだと、いささか青木をなじるような発言を残しています。

そうはいっても坂本が青木をたかく評価していたのはたしかなことで、後年にはつぎのように語っています。

昭和27年6月9日の朝日新聞に掲載された画家の野見山暁治との対談で、セザンヌを「理知が邪魔している。我々はもう一つ先を行きたい」と評したあと、「青木繁がその点情緒、感覚共によかった。海の幸なんかよりスケッチ、自画像がいい。構成力にはなお問題があるが」と、わざわざ青木をひきあいにだしている。[*1]『海の幸』はイマイチだが、スケッチや自画像はすばらしいという。坂本は70歳になっても『海の幸』には納得がいかなかったようですが、スケッチと自画像はつよくおしている。

坂本にとって青木は友であり、そしてライバルでもありました。ふたりの「繁クン」の宿命的と呼んでもいいようなこのきずなは、終生かわることがなかったのでしょう。

坂本繁二郎の奇跡

話をスタートラインにもどします。青木繁と坂本繁二郎、このふたりの明治生まれの画家のあゆみを追いながら、芸術家が生き延びるとはどういうことなのか、その問いへの手がかりをみつけだせたらと思います。

１８８２年（明治15年）に久留米で生まれた青木繁は17歳で中学校を中退して上京。このとき坂本繁二郎はといいますと、まだ久留米におりました。若くして故郷をあとにした青木繁はなかなか大胆な青年に思えます。それにくらべると坂本繁二郎はいささか消極的です。

しかし運命とはわからない（というかおもしろい）もので、坂本が久留米にとどまり代用教員として小学生たちに絵をおしえていたとき、生徒のなかに後年株式会社ブリヂストンの創業者となる石橋正二郎さんがいた。

石橋さんはマネ、モネ、セザンヌ、ルノワールといった西洋の近代美術史の重要な画家たちの諸作品や、『海の幸』『わだつみのいろこの宮』をはじめとする青木繁の名作、坂本繁二郎の作品や日本の近代絵画を多数収集し、その膨大なコレクションは現在のアーティゾン美術館へとつながっていきました。

もし坂本繁二郎が青木繁とともに16歳で東京行きを決意していたら、坂本と石橋正二郎は久留米で先生と生徒という、特別な関係で出会うこともなかったはずです。久留米にふみとどまるという坂本の人生の選択には、青木の大胆さはありませんが、結果的にはその慎重で堅実な選択が日本美術史におおきな足跡を残すという、ある意味、奇跡的ともいえる出会いにつながっていったわけですね。

黒田清輝が留学先で考えたこと

東京の青木繁のほうですが、こちらは１９００年（明治33年）、東京美術学校西洋画科に入学。西洋画科は当時まだ3年目のあたらしい学科で、担当教官は黒田清輝。

黒田清輝は明治以降の日本の洋画界を牽引することになる重要な画家でした。１８６６年、鹿児島生まれ。ちなみに翌１８６７年に生まれたのが夏目漱石でした。黒田や漱石は、青木や坂本らにとって明治という新時代を体現する先生であり大先輩だった。でも黒田と漱石とでは、明治にたいするむきあいかたがちがっていた。この点については後述することにして、まずは黒田ですが、５歳のとき叔父にあたる黒田清綱の養子となり、１８７２年（明治5年）からは東京の清綱のお屋敷でくらすことになる。

清綱邸は東京の麹町平河町にあり敷地は７０００坪。黒田清輝はこの裕福な黒田清綱のもとでそだち、やがて17歳でフランスに留学。当初は法律をまなぶのが目的でしたが、留学先で画家の山本芳翠らと出会い、自分がまなぶべきは先進的な西洋文化としての美術であると自覚するにいたる。

留学先で西洋絵画をまなびつつ、黒田は帰国後にはたすべき使命についていろいろ考えたのだと思います。というのもエリートコースをあゆむ黒田にとって、明治の日本がめざすべきお手本として、西洋からなにを持ちかえるべきかという課題ほど、重要な案件はなかったからです。

西洋絵画の習得は、黒田にとっては画家としての個人的な探究にとどまらず、法律や医学や科学技術の習得に匹敵する重要な国家戦略、文化政策の一貫でなければならなかった。ではいかなる西洋絵画を持ちかえり、日本社会に普及させるべきか。黒田の結論はいったいどういったものだったのか。

黒田清輝が日本に持ちかえろうとしたもの

「夜の画家たち——蝋燭の光とテネブリスム」という、２０１５年にふくやま美術館と山梨県立美術館を巡回した展覧会がありました[*2]。そのカタログに留学先での黒田清輝についての論考が掲載されています。本展企画者のひとりである平泉千枝さんが執筆されているのですが、以下、引用させていただきます。

また高階絵里加氏が指摘したように１８８７年（明治30年）に仏語で発表した「日本絵画」という小論では、黒田はレンブラントを念頭に置きつつ、日本絵画が線や色さいのみで構成されるのに対して、「西洋の絵画は全く反対だ。神秘的な闇や柔らかい揺らめく光は、おのずと瞑想や複雑な思索に適している」「我々日本人は何と深みを欠いていることだろう」とその明暗を賛美している。しかし同時にこれらは日本では馴染まないものとして、「単純な線と明快な色彩を愛そうではないか」「レンブラントより光琳たろうではないか」と結んでいる。（「夜の画家たち――蝋燭の光とテネブリスム」展カタログ所収　平泉千枝「蝋燭の光とテネブリスム―日本近代美術の夜と画家の邂逅―」より）

油絵作品を一点みていただきます（図１）。レンブラントの自画像かとみまがいますが、じつはこれ、黒田清輝が描いたレンブラントの模写作品です。うまく描けていますね。黒田はこんなふうにレンブラントをはじめとする西洋の古典絵画にも習熟し、それらがすぐれた芸術表現であるとよく理解しておりました。しかしながらこうしたすばらしい西洋の古典を日本社会にひろめるのは無理があると黒田は考えた。平泉さんの考察のつづきです。

9年間（1884〜1893年）の長きにわたってフランスに滞在していた黒田は、明暗表現が長い歴史を持ち、単なる描写技術を超え、ギリシャ・ローマの古典や神話、キリスト教における神の光と闇の思想など、様々な文化史までも含んだ奥深いものであることを認識していたのかもしれない。そしてそれを日本の土壌に表面的に移植しても理解されないことを懸念したのではないか。実際、日本の洋画界を率いる画家として黒田が選択した画風は、「単純な線と明快な色彩」により近い、折衷的な印象派風のものだった。ただし彼はまた、敬愛するレンブラントの模写を日本にもたらしているのである。（同カタログより）

図1　黒田清輝『レンブラント作・羽根帽子をかぶった自画像　模写』1889年（明治22年）東京藝術大学美術館蔵

光と闇がおりなす圧倒的な空間表現によって、深い瞑想や複雑な思索をうながす西洋絵画はたしかにすばらしい。

しかしこのような西洋の古典絵画は、はるか過去にさかのぼりギリシャ・ローマ時代、キリスト教文化といったヨーロッパに深く根づいた精神的土壌があってこそなりたつものである。西洋文化になじみがうすい日本社会においてこれを普及させるのはむずかしい。

だがしかしと黒田は考えます。レンブラントのような精神的な深みはのぞめないかもしれないが、日本にはそれにかかわるべき浮世絵や琳派にみられるような「単純な線と明快な色彩による」芸術表現のながい歴史があるではないか。ならばこれまでつちかわれてきたこうした日本固有の美意識によりちかいと思われる印象派風のあかるい色彩世界（くわえていうなら非宗教的な風俗画）をいわば接木すれば、無理なく西洋の絵画世界を明治の日本社会に根づかせることができるのではないか。

このような結論に黒田はいたったのだろうと平泉さんはとらえています。そして実際、黒田の帰国後、印象派風の非宗教的な絵画は日本の画壇に急速にひろまり、明治の画家たちのそれまでの暗い色調は、いっきにあかるい色彩のモダンな印象派風へと一変していったのでした。

あかるい日本の風景を描く

興味深いのは、黒田が印象派風のあかるい色彩絵画を日本社会に普及させることをめざしていた当時の日本は、まさに社会全体が現実においても、あかるく激変していった時期であったという点です。

１８８２年（明治15年）、東京銀座に日本初となるアーク灯の火がともります。アーク灯とは電気でともる火、つまり電灯ですね。この銀座にともった電気のあかりが日本全国にいきわたり、世の中はますますあかるくなっていく。黒田が帰国したのが１８９３年（明治26年）ですから、あかるい色彩絵画をうけいれる素地が、日本社会にすでにできあがりつつあったのだと思います。〝あかるさ〟は、明治における科学技術の進歩と時代感覚、その双方のトレンドとなっていたわけですね。

坂本繁二郎に『秋の朝日』という初期作品があります（図2、次ページ）。１８９９年（明治32年）に描かれています。坂本がまだ久留米で絵の勉強をしていたとき、森三美先生に習いながらこれを描いている。イギリスの風景画をお手本にして、これを日本の風景におきか

（上）図２　坂本繁二郎『秋の朝日』1899 年　京都国立近代美術館蔵
（下）図３　A.F. グレース『油絵風景画の指南書』1885 年所収の『秋の朝日』のもとになった図版
画像提供　久留米市美術館

えているのですが、そのもととなったイギリスの画帖の絵（図3）と坂本の『秋の朝日』をみくらべるとなかなかおもしろい。

二作はあたりまえですが似ています。しかし元絵のイギリスの風景には電柱がなく、坂本が『秋の朝日』に描いた日本の風景には電柱がたっている。

１８８２年、銀座にともった電気のあかりは、その17年後の久留米にもじゅうぶんいきわたっていたわけで、こうして日本全国津々浦々があかるくさまがわりしてゆく当時の時代感覚に、黒田がおしすすめようとしていたあかるい絵はまことによくマッチしていたのでしょう。

青木繁が東京にやってきた

明治というあかるくモダンな時代がこうしてはじまったわけですが、その発信地であった東京に青木繁がやってくる（１８９９年）。

前話で言及しましたように、このときの青木のいきごみはまさに正岡子規だった。「天下でもとりにゆくようなきもちで」東京をめざした正岡子規、そして自分は芸術世界におけるアレキサンダー大王になるのだといきまいていた青木繁。この不安と期待がいりまじった夢おおき若者らしさは、いまもむかしもさほどかわりがありません。

しかしここからなんです、青木繁がほかの画学生たちとちがっていたのは。「東京ってすごい。自分もはやくこのあたらしい時代の最先端である東京感覚を身につけたい。黒田先生が推奨する印象派風のあかるくモダンな西洋絵画を一刻もはやく習得しよう」、そんなふうに心はやらせるのが当時における画学生たちの一般的な反応だったとしたら、青木はいささか異質な存在であったのかもしれません。

青木のなにがほかの若者たちとちがっていたのか。その答えが凝縮したかたちであらわれている作品が、『海の幸』ではないかと私には思えます。

『海の幸』をあらためて検証する

青木繁作『海の幸』（1904年／明治37年）（図4）は、一般的には明治時代におけるおしもおされもせぬ代表作として位置づけられています。私もそのようにおしえられてきましたし、概説書にもそのように書かれています。

しかしほんとうに『海の幸』は明治を代表する明治らしい絵画だといえるのでしょうか。明治日本の洋画界は黒田清輝をリーダーとする印象派風のあかるくモダンなスタイルが中核をなすという流れにありました。『海の幸』はそうした明治の主流の画風には、どうもあてはまりそうにありません。むしろ黒田的な主流から逸脱した絵画世界であるとさえいえるような気がするのです。

『海の幸』とはなんなのか。本作がふくみもつ諸要素を抽出してみることによって、この絵の謎にむきあってみることにいたします。

以下、私なりに再検証すべきと考えた項目をみっつあげました。

① 図5（237ページ）をごらんください。ギリシャ・ローマ時代の神殿の壁あるいは破

図4　青木繁『海の幸』1904年　石橋財団アーティゾン美術館蔵

風（屋根の妻側の部位）にほどこされるレリーフ状の装飾彫刻の一例です（参考図はレプリカ）。人物がずらりとよこに並んでいます。レリーフですから奥ゆきがありませんね。『海の幸』と似たイメージに感じます。

②つぎのような15世紀頃のイタリアの壁画（図6）はどうでしょうか。遠近法で描かれてはいますが、よこ並びの群像は比較的平板に描かれていて、こういうイメージも『海の幸』に似ています。

注目したいのは中央左寄りに描かれた人物です（図7）。ひとりだけわれわれのほうに顔をむけ、視線があってしまいます。『海の幸』にも白い顔でこちらをみつめる、ひときわめだつ人物がおりますね（図8）。

③図9は１９０３年（明治36年）、青木が21歳のときに描いた自画像です。あごをぐっとつきだして、世の中にあらがうかのような、あるいはこわいものしらずのふてぶてしさを感じさせる、そんなインパクトのつよい自画像です（図9、２３９ページ）。

この自画像には特殊な線描があります。人物の輪郭線としてきれぎれに描きこまれた、中途半端にもみえる朱色の線です。

図５　ギリシャ・ローマのレリーフ彫刻例
図６　フィリッピーノ・リッピ『聖ペテロの殉教』15 世紀
（下段・左）図７　上記絵画部分
（下段・右）図８　『海の幸』（部分）

こうした朱色の線の本来の用途は、絵を描く初期段階でキャンバスに描きこむアタリ線なんです。最初に朱色で輪郭をラフに描き、これをアタリにして色やマチエールをつけてゆく。

本来なら完成にちかづくとともに消えていく下描きの線ですが、青木はこの朱色の線をむしろ画中で活かそうとしています。青木のおきにいりのテクニックで、『海の幸』でも男たちがかつぐサメの表現など各所にひんぱんにみられます。

しかしこの朱色の線、かならずしも青木繁に特有の画法ではありません。図10をごらんください。16世紀初頭のベネチア派の肖像画です。顔部分は入念に描きこまれ完成度がたかいのですが、絵の下半分つまり身体部分はいかにもラフな描きかたです。ディテールの表現が略され未完成にさえ感じられる。そしてここにもあの朱色の線があります。顔は完成させるけれども、身体は意図的に未完成のまま放置されているかのような表現です。

すみずみまで描きつくすと絵画空間は呼吸する余地が失われ息ぐるしくなる。絵画は生きものです。人間は生きて呼吸しているかぎり未完成で完結しませんが、それゆえにいきいきしている。完結（＝死）させてしまったらいきいきしなくなるというのは、人間も絵

（左）図9　青木繁『自画像』1903年
石橋財団アーティゾン美術館蔵
（右）図10　16世紀のベネチア絵画の作例

画もおなじです。

ベネチア派の肖像画にならったかのような青木の下描き的な朱色の線も、こうしたいきいきとした生きている絵画をもとめていた青木の直感的な表現テクニックだったのかもしれません。[*3]

こんなふうにあらためて検証していきますと、『海の幸』は青木繁の先生である黒田清輝が普及につとめたあかるくモダンな印象派風のスタイルとはズレをみせているのはあきらかです。むしろ黒田が明治期の日本社会にはなじまないものとしてきりすてた西洋美術史の古典のほうにこそ、青木はよりつよい関心がむけられていたかのようである。

当時のトレンドではなく、なにかもっと根源的な世界、人間の心の深奥とか歴史の遡行とか海の底とか、そういうあかるさとは真逆の闇（あるいはその反転としての光）の世界に、青木のまなざしはむけられていた。そのすなおなあらわれが『海の幸』だったのではないか。

もちろんあまり単純化しすぎないように注意はすべきでしょう。黒田も歴史画の重要性を説き、平家物語を主題とした『昔語り』（１８９８年）といった、実践にも実績がありました。壁画制作を絵画における上位価値として推奨していたという面もありました。そうした黒田の指導が青木の神話的でしかも壁画風の絵画世界を後押ししたのかもしれません。しかしそのただし書きをつけてもなお、黒田と青木では、絵画世界における軸足のおきどころがずいぶんちがっていたのではないかと思うのです。

「上古に傳はらない人間の歴史の破片」としての『海の幸』

１９０４年（明治37年）、青木繁は画友であった坂本繁二郎、福田たね、森田恒友とともに東京をはなれ千葉県館山市の布良《めら》に写生旅行にいきました。その布良で青木は想を得て

『海の幸』を描く。このとき青木の目にはなにが映じていたのか。そのヒントとなる写真集があることを、美術史家の木下直之さんから御教示いただきました。小関与四郎撮影の写真集『九十九里浜』です。[4]

布良とさほどとおくない房総半島の九十九里浜の光景がみごとに記録されています。昭和にはいってからの海辺の光景ですから、青木が『海の幸』を描いたころよりもずっと後年に撮影されたものです。ごらんのように漁師さんたちはみんな素裸です（図11）。

おそらく明治の布良海岸でも、漁師さんたちはこのようにおおらかに素裸で漁をしていたと推察されます。

図11　小関与四郎「下永井（飯岡浜）出漁前のフナガタ　1963年（昭和38年頃）」（『九十九里浜』春風社より）©小関与四郎

さきほども言及いたしましたが、『海の幸』に描かれた光景を実際に目にしたのは坂本繁二郎であり、その坂本の話に想を得た青木が「これだ」とばかり描きだし、『海の幸』が生まれたのだという。たぶんそれが真相なのだと思いますが、青木もまた、『海の幸』に描かれた情景ではないにせよ、まちがいなく素裸で漁をする人びとには出会っていたことでしょう。

布良について、青木は友人に宛てた手紙にこんなふうに書いています。

（略）こゝは万葉にある「女良」だ、すぐ近所に安房神社といふがある、官幣大社で、天豊美命《あめのとみのみこと》をまつつたものだ、何しろ沖は黒潮の流を受けた激しい崎で上古に傳はらない人間の歴史の破片が埋められて居たに相違ない、（以下略）（梅野満雄宛「房州絵入書簡」より）

夏の炎天下の布良の海。裸体で漁をする人びとの情景。安房神社。それらは、青木に太古の情景を幻視させるにじゅうぶんすぎる道具立てであったにちがいない。青木繁は布良で日本文化の源流、いやそれ以上に、「上古に傳はらない人間の歴史の破片」などと手紙にしていることから察するなら、さらにはるかかなたの人類のはじまりへと思いを馳せつつ、『海の幸』を描いたのだといえるような気がいたします。

こうした布良の原初的な光景にくらべて、モダン都市東京はどうかといえば、夜も電灯が煌々とともり、男性はフロックコートにシルクハットとステッキ、女性は美しい洋風のドレスで着かざることにあこがれている。ますますあかるくそして洗練されてゆく東京に、青木はあこがれつつも、なにかしら居心地のわるさも感じていたのかもしれません。

青木繁とファン・ゴッホはよく似ている

ところでいささか唐突ですが、青木繁のことを考えていると、どうしてもかさねあわせてみたくなる画家がいます。フィンセント・ファン・ゴッホです。青木がゴッホから影響をうけたなどといいたいわけではありません。そうではないのですが、青木とゴッホ、このふたりの画家は、どこかよく似た歩みかたをしているなと感じてしまうのです。

ゴッホはオランダのズンデルトに生まれました。ズンデルトはアムステルダムやパリからはずいぶんはなれています。青木繁も東京からそれなりに距離がある久留米に生まれています。

ゴッホはパリを訪れますが、ゴッホの手紙にはこんな文章が残されている。いわく、「外

フィンセント・ファン・ゴッホ		青木　繁	
1853年	オランダのズンデルトに生まれる	1882年	久留米に生まれる
1886年	オランダ各地での活動を経てパリへ	1899年	東京へ
		1900年	東京美術学校西洋画科に入学
1888年	アルル時代	1904年	千葉県館山市布良。『海の幸』を描く
1889年	サン＝レミ時代	1905〜1910年	関東、九州を転々とする
1890年	オーヴェルにて自殺	1911年	福岡市松浦病院にて死去

図12　青木繁とゴッホの足跡

光派という真昼の11時から3時までの時間の他何にも持たぬ腰抜けども[*5]」。

外光派というのは印象派風の作風をさしていますが、そういうパリではやりの作風になじめないでいるゴッホの感情が吐露されています。『海の幸』を描いた青木繁も東京となじめたかというと、かならずしもそういうわけではなさそうだった。

ゴッホはパリからアルルへとうつり住みます。理想的な芸術家村としてのアルルがゴッホの夢だった。友人のゴーギャンがやってきた。新印象派のスーラにもきてほしいとねがっていた。しかしアルルにおける芸術家村の夢はゴーギャンとの友情の亀裂によって実現しなかった。その後のゴッホはサン＝レミ、オーヴェルと転々とし、30代でこの世をさってしまいます。

青木繁のほうは、千葉県館山市の布良に坂本繁二郎、福田たね、森田恒友とともに写生旅行にいきました。真夏の布良はゴッホにおけるアルルを感じさせます。ゴッホの芸術家村構想も青木らの写生旅行も、芸術家同士の切磋琢磨の場であったという意味において、おなじ志であり情熱だった。そして布良では『海の幸』の一件をめぐり、青木と坂本の友情にヒビがはいってしまう。

こうしてゴッホと青木繁、そしてこれからお話ししますように、坂本繁二郎とゴーギャンが、私にはどうしてもかさなって感じられてしまうのです（図12）。

坂本繁二郎とゴーギャンはよく似ている

坂本繁二郎に話をうつします。

最初にごらんいただきたいのが『大島の一部』。１９０７年（明治40年）に描かれた作品で、まだ坂本の画風が確立されていない初期作品です（図13、次ページ）。

この絵をみていて私が感じたのは「おや、これってゴーギャンではないのか」という、

図 13　坂本繁二郎『大島の一部』1907 年
福岡市美術館蔵

画像提供：福岡市美術館 / DNPartcom

「坂本＝ゴーギャン」の照応性なのでした。

『大島の一部』の左下には牛がおります。牛の右上あたりには上半身裸のながい髪の毛をあらっている女性がいる。そしてそのまわりを自然がとりかこんでいる。

　ゴーギャンがタヒチで描いた絵を一点例にあげてみます（図14）。やはり左下に動物がいる。右上には上半身裸の女性がいて髪の毛も黒くてながい。そして自然があります。

図14　ポール・ゴーギャン『アレアレア』1892年

　坂本繁二郎が青木繁たちと布良へ写生旅行にでかけたのは１９０４年、その3年後に坂本は布良よりもさらに東京から距離のある大島でこの絵を描いている。アルルからタヒチへわたりパリからとおざかっていくゴーギャンと、布良から大島にわたって絵を描く坂本繁二郎。両者はその画風にも、画家としての人生の選択にも、なにかしら共通性が感じられて興味深いのです。

　坂本繁二郎の大島旅行後の足跡ですが、坂本はしばらく東京近郊に住み、その後フランスに留学いたします（1921年／大正10年）。拠点のパリにずっと滞在していたのかといえばそうではなくて、いろいろと旅をしてまわり、とりわけ留学中に5回も訪れた場所がありました。ブルターニュ地方です。この地を訪れる日本の画家はおおかったようですが、それにしてもブルターニュ地方にはポン＝タヴァンがあります。ポン＝タヴァンはゴーギャンがしばしば訪れて、その影響下にポン＝タヴァン派が生まれたという土地柄です。ゴーギャンが好きだった場所に坂本も訪れた。やっぱり私には坂本とゴーギャンはつながっているように思えます。[*6]

こうしてアートシーンの中心、花の都パリだけではなく、パリからはなれて旅をくりかえし、3年間の留学生活をおえて坂本は帰国する（1924年／大正13年）。

神戸港に船がつき、それから東京にむかったかというとそうではなかった。洋行帰りの画家といういわゆる〝箔〟がついていたにもかかわらず、坂本は神戸港からそのまま郷里の久留米にもどってしまい、のちには八女のアトリエで生涯絵を描きつづけることになる。

東京をはなれ大島へ写生旅行、そしてフランスへわたり、パリではなくブルターニュ地方などへと旅してまわり、帰国後は一目散に郷里へという坂本の人生の旅路は、くりかえすようですがゴーギャンにおけるパリぎらいとタヒチへの移住という人生の旅路と、どこかかさなって感じられてくるのです。

坂本繁二郎の過激な寡黙

蛇足ながら、『大島の一部』には、坂本繁二郎という画家にたいする私自身の見方をおおきくかえることになった、私なりの発見がありました。

図15　坂本繁二郎『大島の一部』（部分／黒猫）

この絵の右半分の中央あたりに、なにか動物がおりますね。絵のほかの要素にまぎれてわかりにくいのですが、黒猫がいます（図15）。この黒猫、エドゥアール・マネ作の『オランピア』（図16、次ページ）のベッドの右はしに描かれた黒猫とそっくりではないでしょうか（図17、同）。

大島に洋風の黒猫の姿。これはいかにも唐突です。ここには坂本繁二郎の画家としての姿勢、制

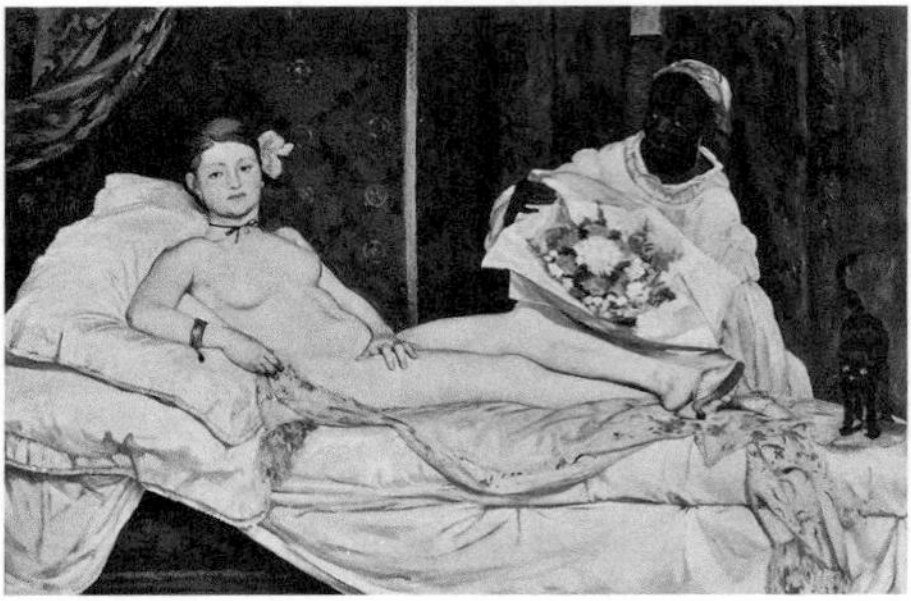

（左）図16　エドゥアール・マネ『オランピア』1863年

（右）図17　同上（部分／黒猫）

作態度がさりげなくもりこまれているような気がします。

マネの『オランピア』は、権威あるアカデミックな展覧会、サロン・ド・パリから出品を拒否された問題作でした。そのアンチ・アカデミックな『オランピア』の黒猫を坂本は自作にさりげなく描きこんでいる（かのようである）。

本作もそうですが一般的に坂本繁二郎の作風は、青木繁のドラマティックではげしい感情表現とは対極的な、静謐で寡黙なたたずまいであるとうけとられることがおおいようです。しかしそれだけではなさそうです。「大島の自然な風景を描いています」という仕立てのこの絵にも、坂本繁二郎からのマニフェストや思いや情念がもりこまれています。
坂本繁二郎の絵には、寡黙であるからこその饒舌がある。ここをみおとすと坂本繁二郎のおもしろさをじゅうぶんにはあじわえないのではないでしょうか。

坂本繁二郎の足跡を追う・その1（牛）

以下、坂本繁二郎の中期から晩年の制作活動を、駆け足でいっきにみていくことにいたします。

海岸の牛（1914）（図18、次ページ）
牛が描かれています。前回言及しましたように、『うすれ日』という牛の絵を夏目漱石が朝日新聞で好評価し、若い坂本はおおいに勇気づけられたという。漱石の「牛の哲学」については先述したとおりです。
思いきって分類してしまうなら、黒田清輝や、司馬遼太郎の『坂の上の雲』に登場する新時代をつくりだした政治家や軍人たちの〝明治〟と、夏目漱石や漱石の琴線にふれた青木繁、

図 18　坂本繁二郎『海岸の牛』1914 年
北九州市立美術館蔵

坂本繁二郎らがあれやこれやと苦悩し、さまよいあるいた〝明治〟。このふたつの明治が対峙しています。勇ましくあかるく堂々たる〝明治〟と、新時代にたいする懐疑や個人的な苦悩によって牛のように問題点を咀嚼しつづける〝明治〟です。

むろん坂本繁二郎の牛の絵も単純ではありません。この『海岸の牛』、それから漱石がほめた『うすれ日』もそうですが、牛の背景には海が描かれています。『海岸の牛』が描かれたのは１９１４年。青木繁が亡くなったのが１９１１年。そうしたいきさつに思いを馳せつつ本作をあらためてみていると、もしかしたらここに描かれているのは、（それが

図 19　坂本繁二郎『三月頃の牧場』1915 年
東京国立近代美術館蔵
Photo: MOMAT/DNPartcom

どこの海を描いたにせよ）布良の海の残像かもしれないと想像力をかきたてられます。

青木繁と布良の海と『海の幸』、そのぬぐいきれない記憶とともに、自分自身は「牛（のような生きかたを選んだ画家）」となっていくのだという思いというか自覚が、ここにはこめられているのではと、思わず深読みしてみたくなってしまいます。

三月頃の牧場（1915）（図19）

やはり牛の絵ですが、背景にもはや海はなく家がたっている。そして家の合間には電柱があり、電線がはりめぐらされています。かわりゆく東京の郊外が描かれている。

さきほどとりあげた『大島の一部』にも牛

図20　坂本繁二郎『牛』1920年
石橋財団アーティゾン美術館蔵

が描かれていたのですが、あの牛は田畑を耕したり荷物やひとをはこぶ牛、つまりはたらく牛だった。ここに描かれた牛たちはおそらくちがいます。

明治になり、都市部を中心に食生活もかわっていきます。牛鍋とかがはやるようになる。すると食用肉としての牛が飼われるようになる。ミルクホールもできる。牛乳をのみながら新聞を読むというのが当時のおしゃれなシティライフだった。この絵に描かれているのはホルスタイン種の乳牛《ちちうし》ではないか。いずれにせよ、そういう急速にかわりゆく都会の牛が描かれているのだと思います。

牛（1920）（図20）

くらい色調のなかに牛が一頭たたずんでいる。坂本は1921年に留学しますから、その前年の〝牛〟です。坂本繁二郎の心境の変化とともに牛の絵も表情をかえていく。

坂本には自画像がすくないのですが、一連の牛の姿はすべてそのときどきの坂本繁二郎の自画像であったとみてまちがいではないと思います。

坂本繁二郎の足跡を追う・その2（馬）

放牧三馬（1932）（図21、257ページ）

いきなり馬になりました。留学をおえて帰国後、坂本は久留米や八女で馬を描くようになりました。夏目漱石は「馬じゃないよ、牛だよ」と人生のありかたをせつせつと語っておりました。そんな漱石に牛の絵を評価されていたのに、意外にも坂本は馬の絵を描きだした。

漱石がいうところの〝馬〟とは、軍人が銃や剣をふりかざし勇ましくたたかうためにまたがる馬のことです。そういう馬ではなく、「うんうん死ぬまで押す」牛にならないとダメなんだと漱石は若い世代に伝えたかったわけですが、では坂本繁二郎が描く馬とはなにか。私見ですが結論をさきにいうならこうなります。

馬、能面など一連の坂本の絵画モチーフは、坂本繁二郎にとっての「失われた時を求めて」である。

フランスから帰国後の坂本繁二郎は、馬だけでなく能面もたくさん描いています。こうした一連のモチーフは、坂本にとっての「失われた時を求めて」なのではなかったか。いまは失われてしまったたいせつな記憶を絵画制作を通じて呼びおこす。そのことに後半生のすべてがそそがれたのではなかったかと。

坂本繁二郎が生まれたのは明治になってからのことですが、坂本家はもともと久留米藩士で、「馬廻役」というお役目をおおせつかっていた。「馬廻役」とは殿様がのる馬の世話や、馬上の殿様の警護といった名誉ある役職で、禄高は１５０石だった。

潤沢とはいわないまでも比較的裕福な生活が保障された身分であったようで、そうしたふるきよき時代について、おそらく坂本少年はおとなたちからいろいろな逸話をきかされてい

図21　坂本繁二郎『放牧三馬』1932年
石橋財団アーティゾン美術館蔵

たことでしょう。それに過去の記憶の断片というか香りのようなものは、廃藩置県後の明治の坂本家にもまだ残り香としてただよっていたのではないでしょうか。

明治の世となり失われてゆきつつあった、かぐわしい記憶世界が、坂本繁二郎にとっての絵のモチーフとしてしだいに重要度をましてゆく。坂本家の栄誉であった「馬廻役」の記憶としての「馬」、武家のたしなみとしての「能」の世界が、こうして執拗に坂本が追いもとめるモチーフになっていったのではと想像してみたくなるのですが、坂本繁二郎みずからがそのような秘話を語っているわけではないので真相はわかりません。

図22　坂本繁二郎『甘藍』1941年
大分県立美術館蔵

甘藍（1941）（図22）

馬にしても能面にしてもそうなのですが、坂本繁二郎の絵はあかるい。このあかるさを目にして、黒田清輝の印象派風のあかるい色彩世界の影響かなと最初はとらえてみたくなるのですが、色彩のあじわいが異質というか、モダンな西洋風というのとはどこかちがって感じられます。

甘藍《かんらん》とは葉牡丹のことだそうですが、こういうふうな絵柄や色味にせっしますと、なんだか「雅《みやび》な和の感覚」に触れている気がしてきます。たとえば金襴《きんらん》緞子《どんす》のような美しくキラキラしたふうあいの着物や帯の紋様とか色彩とか。

坂本繁二郎は母親思いでした。もともとは

武家の家柄ですから、記憶のなかの若い母親は美しく雅な着物や帯をめされていたのではないでしょうか。そういう失われた記憶としての色彩が坂本繁二郎の絵画なのであって、それはモダンスタイルとしての印象派風の色彩感覚とは確実に一線を画していたのだと思います[*7]。

坂本繁二郎の足跡を追う・その3（能面）

〝馬〟とともに後半生の坂本が描きつづけたモチーフに〝能面〟があります。

能や謡《うたい》も武士のたしなみですから、〝能面〟も坂本繁二郎における「失われた時を求めて」の世界にふくまれる。しかし坂本繁二郎は、あまいノスタルジーにひたって満足するというような単純な画家ではありませんでした。他方では天上のような美しい色彩世界。同時に地獄のようなこわい闇も秘めている。

能面（1949）（図23、次ページ）

本作でドキッとさせられるのは奥にある能面です。裏がえしになっていますね。てまえの能面は白くて美しい顔ですが、裏をむけるとたちどころに暗くて荒々しくグロテスクな相貌

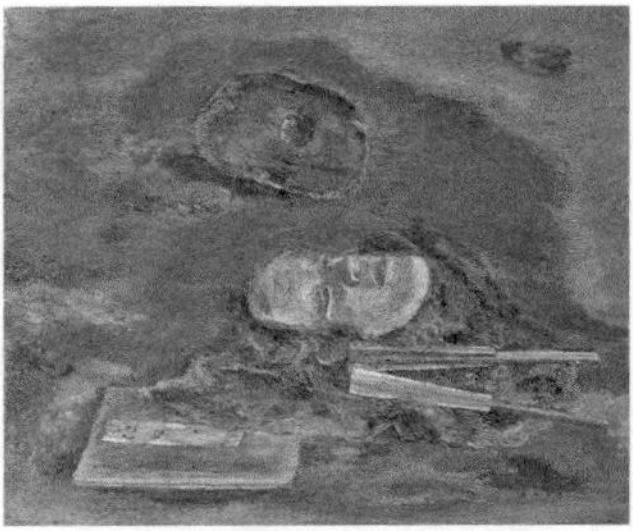

（上）図23　坂本繁二郎『能面』
1949年　メナード美術館蔵
（下）図24　坂本繁二郎『能面』
1954年　久留米市美術館蔵

をあらわにします。

坂本繁二郎は人間の姿を描くことが極端にすくない画家ですが、人間がもつおもての顔と裏の顔を、能面をとおして目をそむけずに凝視することはわすれられていません。

能面（1954）（図24）

本作で坂本繁二郎は四枚の能面をどのように配置するか、ずいぶん工夫しているように思われます。きれいに円形におかれていて、私は時計を連想します。時の経過が時計まわりにあらわされているのではないかと。もっとも左におかれているのは若い顔。そのつぎにすこし年齢をかさねた顔がきて、その右隣、右下へとしだいに年老いていくさまが、能面の配置によってあらわされているのではないでしょうか。

ふたりの遺作が語ること

幽光（１９６９）（図25、２６３ページ）

晩年、坂本は夜空の月をたくさん描いています。

『幽光』は坂本繁二郎最晩年の作とされる月の絵です。月はおぼろげで、いまにも消えさろうとしている。本作を残し坂本は87歳の生涯をとじました。大仰なポーズもとらず、ごく自然で静かな幕の閉じかたをしています。

この坂本繁二郎の遺作から、私たちはもうひとつの遺作のことを思いうかべます。青木繁の『朝日』（１９１０年）です（図26、２６３ページ）。憑きものがとれたみたいにあかるい海の情景です。

坂本繁二郎の月の消えゆく夜空、青木繁の朝日がのぼる海。この二作をみていると、青木繁と坂本繁二郎はいったいどんな画家としての旅路をあゆんだのだろうかと、ふたりの画家の足跡が脳裡に去来いたします。

おさななじみのふたりは郷里の久留米で、画家としての道をほぼ同時期にスタートさせました。ふたりはスタートラインに同時にたったのです。両者はそれからどんなゴールにたどりついたのか。道筋はずいぶんちがっていたけれど、最後はおなじゴールにいたったのか。それとも結局、ちがったゴールだったのか。

私はこう思います。青木繁と坂本繁二郎は、「ふたりでひとつの旅をした」のではなかったかと。

スタートラインにたったのは青木繁でした。青木はスタート直後から全力でダッシュします。持てる力をいっきに燃焼させ、結果、芸術のおおきなはなをさかせます。しかし全力疾走ゆえに燃えつきるのもはやかった。

最後の作品は『朝日』です。朝日がのぼりほんとうはこれからだった。しかし青木にそのあとはあたえられなかった。無念にも道なかばですべてが終わる。ならばあとのことはだれ

（上）図 25　坂本繁二郎『幽光』1969 年
石橋財団アーティゾン美術館蔵
（下）図 26　青木繁『朝日』1910 年
佐賀県立小城高等学校同窓会黄城会蔵（佐賀県立美術館寄託）

かに託すほかないではないか。そしてバトンを託すべき画友は、この世にただひとりしかいなかった。もうひとりの「繁クン」、坂本繁二郎である。
青木繁からのバトンをうけとった坂本繁二郎は次走者としての役割をひきうけました。坂本のほんとうのスタートはこの時点からだった。

坂本は青木とは走りかたがちがいます。坂本は長距離走者ですから、ながい道のりをゆく走法に徹したのです。のぼる朝日にはじまり、消えゆく月にいたるまでの芸術のリレーが、こうしてふたりの画家によって完走されました。スターターは青木繁、アンカーは坂本繁二郎でした。

青木繁には過激な爆発性がありました。いっぽうの坂本繁二郎にはねばりづよい根気がありました。芸術表現には起爆剤が必要です。いっきに爆発しなければ壁はこわれません。しかし他方で持続力がなければ熟成はありません。爆発と熟成は対立であり矛盾です。本来は両立しないんです。その対立と矛盾をものともせず、青木繁×坂本繁二郎というふたりの「繁クン」が、芸術のバトンをつなぎ、美しい芸術の旅路を私たちに残してくれました。

やっぱり一生懸命っていいですね。
ふたりの「繁クン」をみていて、つくづくそう思います。

＊1　朝日新聞　昭和27年6月9日掲載「フランスの絵から何を学ぶべきか　坂本、野見山両画伯対談」より。なお、この記事については小野寛子氏（練馬区立美術館）よりご教示いただいた。

＊2　「夜の画家たち――蝋燭の光とテネブリスム」展は、ふくやま美術館（２０１５年１月24日～３月22日）、山梨県立美術館（２０１５年４月18日～６月14日）で開催された。

＊3　15世紀のイタリア絵画、16世紀のベネチア派の肖像画については、小池勝行氏からのアドバイスをもとに森村がまとめた。

＊4　本文にも記したように小関与四郎写真集『九十九里浜』（春風社）は、美術史家、木下直之氏からご教示いただき、森村も入手した。

＊5　『ゴッホの手紙』（小林秀雄）より引用。

＊6　ポン＝タヴァン（ブルターニュ地方）への旅については、「ふたつの旅　青木繁×坂本繁二郎」展カタログ所収、「坂本繁二郎とブルターニュ」（田所夏子執筆）を参考にさせていただいた。

＊7　坂本繁二郎の馬のモチーフと、坂本家が馬廻役であったこととの関連、坂本繁二郎の色彩感覚の特徴。こういった重要な視点について、小池勝行氏から多くをご教示いただいたことを付しておく。

おわりに――生き延びることは勇ましくない

「アイデンティティの空白」を批判される

「生き延びるために芸術は必要か」などと、ずいぶん勇ましいタイトルを本書につけてしまった。「必要と思うのか、どうなんだ」と相手にせまるのもなかなか勇ましいが、そもそも「生き延びる」というテーマ設定自体が、どこかサバイバルゲームじみていて、たくましくたたかう姿を連想してしまう。

しかしここまですすめてきたあれやこれやの道筋をふりかえってみると、結果はあまり勇ましくもたくましくもなかったようである。

第一話では、生き延びるために〝人間〟を一度すててみませんかと呼びかけることになった。第二話と第三話ではゴヤとベラスケスを例にとり、〝画家として生き延びる〟とはなにを意味していたのかを考察してみた。ふたりの画家の絵筆による生き延びかたには、諧謔《かいぎゃく》や逆説による柔軟でしたたかな策略があった。しかしそれよりなにより、たたかうべき対象へのほとんど愛にちかい敬意の情がまさっていたことが興味深い。

第四話と第五話のテーマは紛争や迫害やパンデミックだった。日常が生き延びるための戦場と化してしまう。そうなればもう、つべこべいわず勇ましくたたかうほかないのかもしれない。

にもかかわらず、ありもしない光輪がみえたとか、観客がいない舞台や美術館の光景に思いをめぐらせてしまったりと、たたかいのおりおりにかいまみえる途方もない美へと目うつりしていった。

第六話は、まさに「生き延びるために芸術は必要か」とまっすぐに問うはずだったのに、着地先は〝問うこと〟自体の無効性であった。

第七話と第八話では、明治という勇ましい時代であったにもかかわらず、あえて勇ましくないあゆみかたをえらんだ芸術家たちの物語だった。

生き延びるためには勇ましくあらねばならないのだろうか。それとも勇ましくなくてもゆるされるのだろうか。

ある美術系の大学で特別講義をしたときのことを思いだす。受講生は日本でまなぶ世界各国からの留学生たちだった。話したテーマは、「私が私であること」。いわゆるアイデンティティとはなにかについて、私なりの見解を披瀝《ひれき》することだった。

通常アイデンティティといえば、それを失ってしまえば、もはや私が私でなくなってしまうような、そういう各人のよりどころのことをさしている。自分がどんな人種に属しているかを自覚すること。どういうセクシュアリティの持ち主なのかを意識すること。宗教、イデオロギー、家族への愛や血筋へのこだわり。仕事や趣味。各人各様であろうが、いずれも私を私としてつなぎとめてくれる〝よすが〟のことをアイデンティティと呼んでいるのだと思う。

ところが私のばあい、このアイデンティティ感覚がどうも欠如しているようなのだ。「自分はかくかくしかじかの者である」と胸をはって主張できる「私」がみあたらない。私ならではの「私」というものがどこかに旅立ったまま、私の中身が空き家状態になっている。

この「アイデンティティの空白」が、私に作品制作をうながすきっかけとなる。なにものかに扮した自分自身を写真撮影するというセルフポートレイト作品を何十年とつづけてきたのも、結局のところからっぽの容器としての「私」の、そのからっぽさをひたすらなにかでみたそうとする、そんな渇望の集積であった。

あるときはゴッホやレンブラントに、またあるときはマリリン・モンローやフリーダ・カーロに、三島由紀夫やゲバラにもなってみた。そうやって別人のアイデンティティをまねきいれることによって私自身をみたそうとする。

しかし私はゴッホになりきれるわけではない。ゴッホで私の空白をつかのま、みたそうとするだけである。ゴッホになりきれないのなら、またべつのだれかを求めるほかてだてはあるまい。そうやってつぎのお相手をまねきいれる。そんなはてしない徒労のアーカイヴが作品として残されていく……。


以上のような「アイデンティティの空白」をめぐる持論を展開したところ、ある学生からブーイングがあがった。「あなたはなにもわかっていない」というのである。

その学生によれば、自分の属する人種は母国で迫害をうけている。自分はそれとたたかっている。迫害に抗してかちとるべきアイデンティティ（＝よりどころとしての自分の人種）というものがあって、自分がそれをもっていることに誇りを感じる。アイデンティティが希薄だというあなたに、このような切迫感はあるのか。戦場に身を投じる必要のないあなたのアイデンティティ論には説得力がないと、剣もほろろに一蹴されてしまったのだった。

すごいなあと、すなおに感服するほかなかった。差別や迫害とたたかう姿勢にはだれもが共感するだろうし、だれもが支援したい気持ちにもなるだろう。それにくらべ、「アイデンティティが空白なんです」などといういいぐさはどうだ。それは、ひとかけらのパンさえ得られない飢餓の状況を知りながら、かわいくておいしいスイーツの話にはなをさかせるのとちっともかわらぬ、お気楽で軽率な発言だとはいえないだろうか。

こうして「空白のアイデンティティ」という、私の芸術表現のまさによりどころを根底から否定される事態に直面することになってしまった。

やはり生き延びるためには、より勇ましくあれと自分自身を鼓舞すべきなのだろうか。

みんなといっしょはいやだな

やや焦点のずれた話題になるのをおゆるしいただいて、一枚のＬＰレコードを紹介してみたい。『ビッチェズ・ブリュー』である（図1、次ページ）。マイルス・デイビスの２枚組アルバムで、１９７０年にリリースされた。私が購入したはじめてのジャズアルバムだった。

図１　LPレコード『ビッチェズ・ブリュー』のジャケット

マイルス・デイビス（１９２６～１９９１）といえばジャズ界の巨匠だが、１９７０年代のマイルスには賛否両論がある。『ビッチェズ・ブリュー』は、もはやジャズではないと批判するジャズ通の方もおられるかもしれない。そうした問題作であったが、ジャズのなんたるかもよくわからぬまま、ともかくこれを手にすることからはじまって、私はジャズの世界にひきこまれていったのだった。しかしなぜ『ビッチェズ・ブリュー』だったのか。

このアルバムがリリースされた１９７０年よりすこしまえ、私が高校生だった１９６０年代のおわりごろのこと。同級生たちが夢中になっていた洋楽といえば、それはもうビートルズ以外にはなかった。ビートルズよりも荒々しくて重厚なローリング・ストーンズや、グルーブ感が単純にカッコよかったハード・ロックのディープ・パープルなども人気があった。しかしなんといってもビートルズだった。ませた同級生の男子生徒たちは頭髪をビートルズカットにしていたし、エレキギターを練習しビートルズのコピーバンドを結成する者もいた。

みんながビートルズにハマる風潮のなかで、それを横目でみやりながら、へそまがりな性格がめばえはじめていたあのころの私は、こんなふうにふてくされていた。「みんなといっしょはいやだな」と。

現代美術に興味を持ちだしたのも、同様の理由からだった。私が所属していた高校の美術クラブでは、部員たちはおなじような風景や静物ばかり描いていた。私も入部してすぐのころは油絵具をあつかえることがたのしくて、毎日夢中でカンバスにむかって絵を描いていた。油絵を描いているとおとなの仲間いりができた気分になれて、その背のび感覚がたまらなかった。

しかしやがていらだちをかくせなくなってきた。まわりではみんなあいかわらずかわりばえのしない風景画や静物画を描いている。どうしてあれで満足できるのかわからなかった。ついに私は暴走ぎみに油絵を捨てさり、ダダイズムやロシア・アバンギャルドといった20世紀美術のほうへとつきすすんでいった。

あたらしい美術表現やマイルスの『ビッチェズ・ブリュー』に、私はたったひとりで興奮していた。話題を共有できる相手がまわりにはいなかった。昨今のようにネットでだれとでもつながれるような環境ではなかったから、ひとりで「みんなといっしょはいやだな」とつぶやくよりほかにすべはなかったのだ。孤独な青春だったが、おそらくあの孤立無援からすべてがはじまったのだろう。

見ざる、聴かざる、知らざるの精神

青春時代にめばえたへそまがりな性格を、じつはいまもなおひきずっている。自慢にもならないが、たとえば宮崎駿監督のアニメ作品を私は一本もみたことがない。

万人がみて万人が感動する名品ぞろいだと承知している。みようと思えば、映画館やテレビ、ネットでもたやすくみることができる。それをやろうとしない。宮崎作品に否定的なのではない。みれば感動するにきまっている。それなのに「みんなといっしょはいやだな」という、あのへそまがり根性が邪魔をして、せっかくの感動を放棄してしまっているのである。

本書を書いているさなかに宮崎駿監督の新作が発表された。タイトルは『君たちはどう生きるか』（２０２３年７月公開）であった。おどろいた。本書のタイトル『生き延びるために芸術は必要か』と似かよっていたからである。

〝生きること〟への問いがとりざたされたタイトルなわけで、あたらしい宮崎作品の中身が気にならないはずはなかった。みてみたいという好奇心、欲望がわきおこる。しかしこれをみてしまっては、私の〝宮崎作品をみない〟という記録が更新できなくなってしまう。それでずっとがまんしつづけている。

かくもへそまがりでは、なにごともスムーズにはすすまない。生きづらい。われながらこまったものだとあきれてしまう。

しかし最近はすこしちがった見方をするようにもなってきた。

ビートルズを聴くことや、宮崎作品をみることによってはぐくまれる、すばらしい感受性というものが確実にある。そのことに異論をさしはさむつもりがあろうはずもない。しかしなにかをあえて聴かないこと、あえてみないこと、あえて知らないでおくことによってはぐくまれるまた別種の感受性や文化、これもまた確実にあるにちがいない。

そのように信じて、へそまがりな「見ざる、聴かざる、知らざる」の性分を、むしろポジティブにとらえなおし、これを「アマノジャク・スピリット」と名づけてみてはどうかと自分勝手な人生哲学を思い描いてみた。

勇ましく生き延びることから芸術は生まれるのか

アマノジャク・スピリット。なるほどわるくない〝思想〟だと自画自賛したいところだが、考えてみればこれはいまにはじまったことではなかった。過去にも同様の精神の持ち主が何人もいた。

たとえば本書の第七話にも登場した夏目漱石である。漱石は、私などとうてい足もとにもおよばぬ、〝超・アマノジャク・スピリット〟の小説家であった。漱石の『吾輩は猫である』の第十章で、苦沙弥先生（漱石がモデル）の妻と姪が苦沙弥のうわさをこんなふうに語る場面がある。

（妻）「ただ怒るばかりじゃないのよ。人が右と云えば左、左と云えば右で、何でも人の言う通りにした事がない、―そりゃ強情ですよ」

（姪）「天探女（あまのじゃく）でしょう。叔父さんはあれが道楽なのよ。だから何かさせようと思ったら、うらを云うと、こっちの思い通りになるのよ。こないだ蝙蝠傘を買ってもらう時にも、いらない、いらないって、わざと云ったら、いらない事があるものかって、すぐ買って下すったの」

（妻）「ホホホホ旨いのね。わたしもこれからそうしよう」（『吾輩は猫である』夏目漱石より　＊（妻）（姪）の表記は著者加筆）

姪のほうが一枚うわてだったというくだりだが、この自虐的な会話の執筆者は当の苦沙弥先生こと夏目漱石なのである。アマノジャク・スピリットをなかば性分としてネガティブに、なかば自覚的にポジティブにとらえようとする姿勢が明快に描かれていて痛快である。

維新後の日本は激変する時代の波にのり、勇ましく生きてゆく明治の人間像を多数生みだしていく。この勇ましさがなければ列強諸国の力学にのみこまれ、日本が生き延びてゆくこともあやぶまれたことだろう。

しかし夏目漱石はどこかちがっていた。世の中が右といえば左、左といえば右のひとだった。日露戦争に勝利して提灯行列のイルミネーションにだれもがうかれているときに、「戦争は何のためにするものだかわからない」「こんな馬鹿げたものはない」と、『三四郎』のなかで脇役のひとりにいわせている。

若者の立身出世の志と社会貢献を一直線でつなげてみせることで、あかるくただしい処世術が力づよく賞揚されていた時代に、なんとも不埒《ふらち》でなさけない不倫小説を何作も書いている。それらの小説の主人公はいずれも社会からみはなされ、やがてかなしくおちていく。

漱石とは、なかば性分として、なかば自覚的に、時代の波にのりそこねた者の生きづらさにのみまなざしをむけたかった小説家、なんというか逆立ち状態の明治人であった。

勇ましく「生き延びる」ことから、勇敢な兵士や立派な政治家がきっと生まれるにちがいない。経済界にも「生き延びる」ことにたけたリーダーは必須の存在であろう。強靭なアスリートや不敗をほこる勝負師も社会をおおいに勇気づけることだろう。しかし勇ましく「生き延びる」ことから、芸術が生まれるかどうかはわからない。

極論をあえていわせていただくなら、美術であれ、音楽であれ、文学であれ、なんであれ芸術というものには、山積する人類の難題を解決する力も、世界を牽引するつよいリーダーシップも、残念ながらやっぱりそなわっていないと痛感する。芸術が人類を救えるなどと過信してはいけないと思うのだ。芸術にできるのは、生き延びたくても生き延びることができなかった人びとや出来事に、「わすれないでいるからね」と、懸命に孤独なまなざしをさしむけることだけであろう。

ただときおり奇跡的にその真剣なまなざしが、深くて重い悲しみのかなたにほのかな光明をみつけだすことがある。そのかがやきがきっと〝美〟なのだと思う。作品のどこかにそのかがやきの照りかえしがあるかどうか。これはもう一種の賭けとなる。

生き延びるために芸術が必要なのではない。生き延びることができないもののために芸術は必要なのだと私は思う。

建物を荼毘に付す

本書の冒頭にもどりたい。だれも住まなくなり、朽ちてゆくまま放置された私の実家の話から、本書ははじまったのだった。ありふれた一軒の古家のゆくすえを考える、それが私に課せられた人生のささやかな宿題のひとつであった。

なんの役にも立たない建物なのだから、いさぎよくとりこわしてしまったほうがいいのかもしれない。あるいは古民家再生プロジェクトよろしく、大胆にリノベーションをこころみて、時代にみあった有効活用へと生まれ変わらせるのも一案かもしれない。いずれの選択もなるほどと思う。しかしどうも乗り気にならないのはどうしてだろう。

日本各地でふえつづける空き家が問題視される時代となった。私の家もその一例にすぎない。だが幸か不幸か、私は表現をなりわいとする芸術家であった。社会問題に還元しえない私的な観点に重きをおくクセがついている。他人には無用のうすぎたない空家であっても、私には〝私的〟かつ〝詩的〟な記憶世界である。有効活用とか再開発とか景観論とか防災とか、そういう時事的な話題にはもうしわけないくらいリアリティがとぼしくて、より詩的な発想はないものかと妄想してしまう。

などと思いめぐらせているうちに、とっぴな建築案を思いついた。それは「建物を荼毘《だび》に付す」、ようするに、燃やして消滅させるというもので、建築案というよりは建築消滅計画である。

原型は三島由紀夫の『金閣寺』にある。周知のように、主人公は金閣寺に火をはなつ。まさに〝建物を荼毘に付す〟作法の指南書とも読める小説である。世俗にまみれけがされてゆ

図２　森村泰昌『星男（金閣寺にて）』1994/2004年

く美としての金閣寺が炎上する。金閣寺は消滅することで、俗人にはけっして触れることがゆるされぬ絶対美として永遠化される。

放火犯の主人公もまた、犯罪者として罰せられ、とほうもない侮蔑の対象と化す。社会という世俗から排除され、情状の余地なしという意味において、このひとは絶対的な悪人となる。

絶対的な美とその美をあやめた絶対的な悪。両者はだれにも邪魔されず、その絶対性においてわかちがたくむすびつく。それは、金閣寺と池にうつるその倒立した鏡像の関係にとてもよく似ている（図2）。

小説『金閣寺』は、「生きようと私は思った」という有名な一文で終わる。三島由紀夫は戦中も戦後も生きづらさからのがれることができなかった不幸な若者であった。「生き延びること」の困難の体現者である。戦中は兵隊になりそこねた軍国少年だった。戦後は生き残ってしまった軍国青年として悔いくるしんだ。複雑なセクシュアリティもかかえこんでいた。あちらでもこちらでも負い目を感じ、生きづらい。そのあがきのなかで『金閣寺』は書かれたのだと思う。「生きようと私は思った」のは、小説の主人公以上に作者の三島由紀夫そのひと自身だったのだろう。

生き延びるためには、勇ましくあってはならない

それにしても小説『金閣寺』は美しい。しかしあまりにも美しすぎる。美は純粋性をきわめればきわめるほど、美ではないものを容赦なく消しさりたくなってゆく。美しい衣装をはおれば、わずかなホコリや糸クズもゆるされなくなる。そして結局のところ、美しくないものの筆頭として、美をもとめてやまぬ当の本人自身に刃がむけられる。

小説のモデルとなった金閣寺の放火犯は１９５６年26歳で亡くなった。三島由紀夫は１９７０年11月25日に市ヶ谷自衛隊駐屯地でクーデター決起したあと割腹自殺した。

『金閣寺』は「生きようと私は思った」ことで未来がはじまる物語のはずだったのに、結果は悲劇におわった。美はいいしれぬ魅惑だが、あまりに美しすぎるとき、それは「生き延びる」ことの不純の摘発へと暴走する。美しすぎることは悲しすぎるのだ。

かつて『金閣寺』は私のもっとも愛する小説のひとつだった。何十年とその呪縛からのがれられずにいた。しかしちかごろ、この小説からそろそろ自分を解放してもいいのではないかと思えるようになってきた。

金閣寺に火をはなつなんて、ほんとうはちっとも勇ましくもなければ、カッコよくもない茶番である。このなさけない愚行を、思いきった反転によって美的行為の極北にまで仕立てあげる。『金閣寺』においてなされたこの文学的なレトリックのみごとさに、私も魅了された若者のひとりだった。

しかし「生きようと私は思った」主人公のモデルも、作者の三島由紀夫も結局生き延びることがかなわなかった。『金閣寺』をへて、生きづらい戦後という時代を勇ましく「生きようと私は思った」三島由紀夫は、その勇ましさゆえに生き延びることの拒否をえらんでしまったのである。

生き延びるためにもとめられた「美」や「勇ましさ」であったはずなのに、「美」や「勇ましさ」ゆえに生き延びることができなくなるとは、なんとしたことか。悲劇なのか喜劇なのかさえ、よくわからなくなってくる。

そういうことであれば、もう最初から人生すべからく醜悪なバカ騒ぎであるときめこんで、勇ましくあろうとする努力を放棄してしまってもゆるされるのではないだろうか。勇ましくなければ生き延びることができないのではなく、ほんとうは勇ましいと生き延びることができなくなってしまうのではないだろうか。

『金閣寺』がおしえてくれた「生きようと私は思った」という最後の一文を、この小説のむかうさきとは正反対に方向転換させながらうけつぎたい。そのようにとらえなおし、私はつぎのようにつぶやいてみる。

「生き延びるためには、勇ましくあってはならない」と。

これは『金閣寺』からの卒業（あるいは訣別）にさいして申し送りたい、私のかってな答辞のようなものである。

持続不可能性建築に託すもの

そんなわけで、さきほど提案した建物を荼毘に付すという計画案を撤回し、あらためてつぎのような最終案にさしかえることにする。

ラフスケッチを描いてみた（図3、次ページ）。名づけて「持続不可能性建築」。廃屋はさわらずそのままで、これを透明な壁でおおっただけのいたってシンプルな建築案である。

小説『金閣寺』を指南書として建物に火をはなつ。炎上とともに建物の記憶世界がいっきょに昇天するかのようで、これほど誘惑的で祝祭的な美的セレモニーはないように思われる。しかし「持続不可能性建築」はこれとは方向が真逆である。建物を現状のままシェルターによって格納し、あとは自然な風化にゆだねてしまう。荼毘に付すのではなく、いわば木乃伊（ミイラ）である。古代の人はこう考えた。体が消滅すれば魂は宿るべき棲家をなくしてしまう。だから体は火葬せず、しかるべき処理をしてのち埋葬し、あとは時のすぎゆくままにまかせてみようと。

図３　森村泰昌『持続不可能性建築案』2024年

建物にかぎらず、永遠にかわらぬものなどなにもない。頑丈な岩でさえ日々わずかずつだが確実に変化する。地球も太陽も宇宙もうつりゆく。ならばなりゆきのまま放置するというのも選択肢のひとつではないだろうか。

持続可能性、サスティナビリティ、ＳＤＧｓといったキャッチフレーズは、いまやいたるところでもてはやされている。しかしほんとうのところ、だれも永遠の持続性など期待してはいない。歯に衣を着せずにいうなら、それは、すこしでもながく生き延びたいという人間の悲しい〝さが〟の表出なのであり、けなげで非力な言いわけのアピールなのである。

本気で持続可能性を唱えるなら、パソコン

にしろ、スマホにしろ、なんにしろ、新製品を何度もくりだして、あなたのそれはもうふるい、買いかえるべきだとせまることを、まずはやめるべきだろう。それよりなにより、すべての環境破壊には、電気というエジソン以来の文明の利器が元凶として君臨していることを思い知り、深く悔いあらためねばなるまい。

しかしそんなことはだれもするはずがない。なぜならもうあともどりすることが不可能だとみんなわかっているからである。ならば持続可能性などときれいごとのアピールに終始するだけではなく、むしろ〝持続不可能性〟へと思考の舵を大胆にきりかえてみてはどうだろう。「持続不可能性建築」とは、そうした私の憂いのはてにいたった、なんというかささやかな暴論である。

だれも永遠に生き延びることなどできはしない。人類も、ひとりひとりの人間も、みんな持続不可能な運命をになっている。それでも「生きようと私は思った」といってみる。ぜんぜん勇ましくも美しくもないけれど、ちょっとホッとする。勇ましくなくてもいいのなら、美しくなくてもいいのなら、なんだか肩の荷をおろしたきぶんになれるだろう。そしてホッとできるのなら、それはきっといいことなのだと思う。ほのかにやさしさがただよっているのはわるいことではない。
もちろんしばし肩の荷をおろしたからといって、解決の糸口がそこにあるわけではない。だから本書は筆者の覚え書きなのである。道の途上で書きとめた、とりあえずの「生き延びるためのノート」なのである。

未完のノートのつづきについてはまたゆっくり考えることにして、ひとまずここは、私もまた、「生きようと私は思った」という一文で本書をしめくくりたい。おなじ一文で終わったあの小説のその後のいきさつとは異なる未来に、すこしでもつらなることをねがいつつ。

（了）

あとがき

私が高校生だったころ、書店にいくとさまざまな人生論が並んでいた。それらは若者が読むべき推薦図書になっていた。日本では武者小路実篤、海外ではトルストイやヒュームの『人生論』といったところが有名だった。しかしへそまがりな私は、武者小路実篤もトルストイもさけたい気分だった。人生論なんてどうせ説教じみた自己啓発書か啓蒙書なんだろうと、読みもせずにきめつけていた。

そんななかで一冊だけ気になる本があった。三木清の『人生論ノート』である。なにが書いてあるのか、私にはさっぱりわからなかった。でもステキだと感じた。硬質な文体へのあこがれもあったが、なによりも本のタイトルがすきだった。人生論は好みではなかったのに、〝人生論〟のあとに〝ノート〟とつづくと、世界がガラリとかわって感じられた。

私はこう考えた。これはあくまでノートなのである。著者はああでもないこうでもないと答えのない問いをかかえながら、ひとまずは備忘録としてこれを書きとめたかったのだ。説教したいわけではなく、筆者の苦悩の痕跡が本になっているのだ、と。

中身は難解でわからなかったし、著者の三木清が戦時中（正確には１９４５年9月26日）、獄中で病死した哲学者であったということも、ずいぶんあとで知った。当時はともかく〝ノート〟という三文字のカタカナにひかれ、のちには大江健三郎の『ヒロシマ・ノート』も、タイトルに〝ノート〟とあるだけで、思わず手にとってしまったくらいである。

あのころを思いだしながら、私にとっての「人生論ノート」を書いてみたいと、ずっと考えていた。それが紆余曲折をへて本書のかたちになったのだと思う。とはいえ〝人生〟などという昭和めいた文言をいまさら持ちだしても、それこそお説教じみた内容になりかねない。そこで〝人生〟にかかわる〝生き延びる〟を思いついた。生き延びるために考える。そのノートというたてつけが本書になったとご理解いただきたい。

本書はいくつかの異なるなりたちかたをしている。第一話と第四話から第六話までの四篇